BIOGRAPHIES EXPRESS
Collection dirigée par Jean-Marc Simon

———

François Mitterrand ou le triomphe de la contradiction
JACQUES PATOZ

Léonard de Vinci, itinéraires et lignes d'ombres
PHILIPPE PARIZOT-CLERICO

Lawrence d'Arabie ou l'Épopée des sables
RAPHAËL LAHLOU

———

Illustration de couverture :
Jackie Kennedy © Collection Roger-Viollet

© Bernard Giovanangeli Éditeur. Paris, 2005.
Conception graphique : Gilles Seegmuller.

JEAN-MARC SIMON

Jackie Kennedy

une femme blessée

Bernard Giovanangeli Éditeur

I

LA PETITE FILLE DE LA PROSPÉRITÉ

1929-1942

Comme jadis le phare d'Alexandrie, la statue de la Liberté, cette autre Merveille du monde, ce monument érigé à l'espoir universel, élève fièrement son fanal au-dessus des appontements de New York, en une invitation généreuse au pays de la liberté et de la prospérité. « Donnez-moi vos miséreux […], propose à l'humanité la légende de son socle. […] Je dresse ma lampe à côté de la porte dorée. »

La porte dorée, cette *Golden Gate*… ils sont des millions d'immigrants à l'avoir poussée, le cœur gonflé d'espérances et d'ambitions, bien avant que Bartholdi n'assemble là sa statue, en 1886, à l'entrée de cet État-continent où le Blanc va pourchasser le Peau-Rouge toujours plus loin et importer le Noir comme du cheptel. Combien dans ce flot intarissable (près de 9 millions d'individus de 1901 à 1910 !) auront ainsi atteint leur Eldorado sur cette terre promise ? En 1929, à cette charnière du XXᵉ siècle où débute notre histoire, les États-Unis comptent déjà 122 millions d'âmes. Combien, alors, doivent déjà se contenter d'avoir fui l'arbitraire, les pogromes, la guerre ou une misère par trop épouvantable ? L'espoir, en tout cas, est permis en ce Nouveau Monde arraché à la tutelle d'un Vieux Monde éternellement en conflit. Et de fait, une fois réalisée l'Union, au sortir de cette fratricide guerre de Sécession – la grande guerre des États-Unis, et sa maladie infantile – l'économie de

« l'Amérique » ne cesse de progresser, jusqu'à hisser le pays au premier rang mondial dans les secteurs clés de l'industrie, du commerce et de l'agriculture.

La fin du XIXe siècle voit naître le *Big Business*. Les capitaux affluent ainsi qu'une main d'œuvre bon marché, les chemins de fer gagnent tout le pays, les chercheurs d'or se font mineurs et extraient le minerai d'un sol généreux. D'aventureux capitaines d'industrie s'arrachent à la foule anonyme des immigrants en faisant montre d'une audace toute héroïque. L'année 1890 a vu la fin de la « frontière », mais leur esprit d'entreprise – cet esprit pionnier – demeure sans bornes. Des fortunes colossales se bâtissent en peu de temps, des hommes issus de rien offrent leur nom au monde pour symbole de ce rêve d'Amérique accessible à tous et qu'incarne orgueilleusement la statue de New York. Ainsi Andrew Carnegie, fils d'un patron de filature ruiné en Écosse, se fait-il le Roi de l'acier. Ainsi aussi, John Davison Rockefeller, fils d'un modeste négociant en bois, fonde-t-il la très mythique Standard Oil. Ainsi encore, les Du Pont de Nemours, Morgan, Gould, Mellon, Woolworth, Tiffany et autres Guggenheim ou Vanderbilt…

Mais cette expansion continue prend peu à peu d'autres formes dans ce « pays neuf » déjà appelé après la Grande Guerre à s'imposer pour modèle aux autres nations. Le capitalisme s'organise, se concentre. Trusts et holdings s'imposent aux structures familiales. Un homme, Frederick Winslow Taylor, fonde même une nouvelle science de l'organisation du travail : des méthodes caricaturées par Charlie Chaplin dans *les Temps modernes*. Productivité et productions explosent. Les Années folles de l'après-Première Guerre mondiale sont aussi celles d'un véritable boom économique : le temps de « la prospérité ». L'Amérique des années vingt, plus industrialisée, plus urbanisée, devient le phare de la modernité. L'Amérique puritaine et croyante, où l'on interdit l'alcool et prête serment sur la Bible, la jeune nation où règne pourtant l'intolérance du Ku Klux Klan et du fondamentalisme, où six États condamnent encore l'évolutionnisme, ce pays-là est aussi le pays où l'on possède le plus de postes radio (732 stations indépendantes en 1927), où l'on vend le plus de réfrigérateurs (755 000 en 1928) et où circulent le plus d'automobiles (27 millions en 1929).

C'est dans cette Amérique-là, sur cette terre emplie de contradictions, où les gratte-ciel champignonnent mais où 60 % de la population – surtout des ruraux – ne gagnent pas les 2 000 dollars annuels du minimum vital, que naît Jacqueline Lee Bouvier, ce rêve d'Amérique universellement connu sous le nom de Jackie.

En vérité, une bonne fée semble s'être penchée sur le berceau de Jackie lorsqu'elle vient au monde, ce dimanche 28 juillet 1929, au Southampton Hospital, non loin de East Hampton, très chic station balnéaire de la côte est. L'enfant prématurée, au teint pâle, aux yeux et aux cheveux noirs, naît de l'alliance de deux familles ambitieuses et mondaines représentatives de cette réussite sociale qu'autorise parfois le rêve américain. Elle est la digne fille de cette Amérique de la prospérité qui prône l'égalité des droits et une chance pour tous, mais qui recrée déjà ses propres lettres de noblesse, pour ne pas dire ses castes, selon le degré d'enrichissement et d'ancienneté sur le continent.

Le père de Jackie, John Vernou Bouvier III, dit Jack, le Cheik noir, le Prince noir, et surtout Black Jack, à cause de son goût immodéré pour le bronzage aux lampes solaires, est issu d'une famille de menuisiers français de Pont-Saint-Esprit. Son arrière-grand-père est venu tenter l'aventure outre-Atlantique au lendemain de Waterloo. D'abord dans l'ébénisterie de luxe, grâce aux commandes de Joseph Bonaparte, exilé là-bas dans son extraordinaire domaine de

Point Breeze, près du Delaware ; puis dans les terres à charbon de Virginie et surtout l'immobilier, secteur d'activité qui constitue l'un des plus sûrs moyens de prospérer. À sa mort, en 1874, il possède déjà une résidence Renaissance de trente-deux pièces avec jardin à la française. En 1914, la fortune des Bouvier est estimée à l'équivalent de 40 millions de dollars actuels et autorise à ces habitués de Wall Street un train de vie mondain qui leur vaut un certain sentiment de supériorité et qui, de fait, leur attirera l'admiration du clan Lee, pourtant lui-même guère démuni.

Janet Norton Lee, la mère de Jackie, est de souche irlandaise, mais se présente plus volontiers comme catholique d'origine anglaise et même comme descendante du fameux général Lee. Son arrière-grand-père, lui, a fui cette terrible maladie de la pomme de terre qui a tué un million d'Irlandais entre 1845 et 1849. Il appartient à ces « bouches vertes » contraintes à se nourrir d'herbe pour échapper à la famine, ces *muckers* (boueux) méprisés par les immigrants plus anciens et que Janet considère comme une tache dans sa généalogie. C'est pourtant grâce à cet aïeul que les Lee se sont arrachés à la misère. Son fils accède à l'université, puis enseigne le jour et exerce la médecine le soir. Son petit-fils James T. Lee, alias Jim, le père de Janet, accumule les diplômes d'ingénieur, de sciences politiques et de droit, son métier d'avocat constituant un tremplin pour l'immobilier. Et de fait, c'est là qu'il fait fortune, avec des moyens modestes mais beaucoup d'inspiration. En investissant à New York, le long du futur métro de la 7e Avenue, Jim parvient à amasser 2 millions de dollars en actions à l'aube de 1907, soit l'équivalent de 36 millions de dollars actuels – un pactole alors comparable à celui des Bouvier. Mais, grâce à ses idées novatrices, il va faire bien mieux encore : d'abord en persuadant les familles fortunées de vivre sous le même toit, dans de somptueux immeubles de rapport, puis en construisant le Shelton, le plus haut hôtel du monde, et en proposant des immeubles chics pour célibataires hommes ou femmes. En 1923, le *New York Times* estime sa fortune à 23 millions de dollars… et Jim ne s'arrête pas là ! Au bout du compte, il fera bâtir quelque deux cents bâtiments résidentiels ou commerciaux, notamment les meilleures adresses de Manhattan. Il lance ainsi le 998, 5ᵉ Avenue, en y attirant à perte un sénateur en vue. Au 740, Park Avenue, il installe John D. Rockefeller Jr dans un triplex de quatre-vingt-dix pièces…

Bref, le grand-père maternel de Jackie – de surcroît vice-président de la Chase National Bank ! – est tout à la fois un homme très en vue et l'archétype du self-made-man. Mais c'est aussi un homme plutôt satisfait de lui, peu disponible et sans chaleur sincère.

En tout cas, cette double réussite des Lee et des Bouvier induit un mode de vie particulier, tout entier tourné vers la « bonne société », et appelle les deux familles à croiser tôt ou tard leurs chemins à New York ou dans quelque villégiature privilégiée.

La rencontre a lieu à East Hampton, la plus huppée des très rurales Hamptons, le Barbizon américain : un chapelet de charmants villages pour artistes étiré sur une cinquantaine de kilomètres de Long Island, la grande île pointant vers le large depuis son point d'ancrage à Brooklyn. La côte de Long Island est un refuge apprécié pour les New-Yorkais aisés fuyant la chaleur de l'été, ou durant le week-end, et East Hampton en est la station la plus recherchée par les plus fortunés. En 1920, les Lee y prennent en location *Avery Place*, une magnifique résidence sur Lily Pond Lane – de quoi fréquenter les meilleures familles. Les Bouvier, eux, sont là dès 1910, et, en 1925, le Major, John Vernou Bouvier Jr, le grand-père paternel de Jackie, achète *Lasata* sur Further Lane, près de la mer : une propriété de près de six hectares servant d'écrin à une maison de quinze pièces dans un style anglais élégamment abâtardi par un péristyle à colonnes et des parements de marbre.

Lasata est une pure merveille avec son jardin à la française, ses statues, son bassin, ses fontaines, et aussi sa roseraie, ses écuries, son court de tennis. Et bien sûr, on y vit sur un grand pied – servi par une nombreuse domesticité –, entre couverts en or et porcelaines, tissus précieux et meubles de famille. Car, bien plus que chez les Lee, l'autre richesse des Bouvier, c'est leur train de vie ostentatoire et cette manière d'aristocratie déjà reconnue dès la fin des années 1880. Ils ont de « meilleures » origines et une génération d'avance. D'ailleurs, pour faire bonne mesure, le Major, avocat plumitif et poseur, attaché aux clubs chics et au vernis social, s'est inventé des armoiries et a publié un ouvrage consacré à sa prétendue généalogie médiévale. On a le sens de la grandeur chez les Bouvier… et puis ce culte des apparences qui fait alors si parfaitement écho au sens des traditions et à un certain snobisme de classe des Lee.

Black Jack et Janet, les parents de Jackie, se rencontrent donc à East Hampton, en décembre 1927, grâce aux sœurs de Jack. Ce sont tous deux de purs produits de cette classe dominante, deux jeunes gens croyant en leur dû – des enfants gâtés –, mais le moins que l'on puisse dire, c'est qu'ils sont dissemblables.

Janet Lee, puînée de trois filles, est alors âgée de vingt ans. Elle est jolie et possède un physique de sportive accomplie. De fait, si elle n'a pas brillé particulièrement dans ses études – elle a pourtant eu accès à la coûteuse école Miss Chapin, institution de référence pour les jeunes filles de bonne famille –, elle a appris la danse et est devenue une cavalière émérite. Fidèle aux pentes de sa caste, elle sait également jouer au bridge, parle bien le français, est rompue aux bonnes manières et a pour ambition naturelle de faire un « bon mariage » socialement réussi. Impératif d'autant plus pressant que l'atmosphère est lourde chez les Lee, où ses parents ne se parlent plus que par le truchement de leurs enfants. Marion, l'aînée, a déjà pris la fuite dans le mariage.

Jack Bouvier est l'aîné de cinq enfants et compte seize ans de plus que Janet. À trente-six ans, cet homme fait, sorti de Yale sans y avoir brillé davantage, est devenu agent de change (*trader*) à Wall Street grâce à sa famille, mais foncièrement il demeure un golden boy attardé et même un authentique play-boy. De fait, ce beau gaillard brun aux yeux bleus, musclé et bronzé, à la fine moustache, a une gueule à la Clark Gable. Peu de femmes lui résistent. Pis, elles se le disputent dès qu'il apparaît, et il en abuse donc autant que de l'alcool – bien que l'on soit alors en pleine prohibition. À la différence de son père, le Major, voire de Janet, ce célibataire très recherché de la bonne société n'affecte pas de morgue de classe ; il est même naturellement chaleureux, mais il aime mener grand train et vivre sans soucis. Black Jack, fêtard intime de Cole Porter, reçoit chaque nuit le Tout-New York dans sa luxueuse garçonnière de onze pièces du 375, Park Avenue... à quelques numéros du vingt-quatre pièces de ses parents. Toujours tiré à quatre épingles, il s'habille chez les meilleurs faiseurs, appartient aux clubs les plus distingués, court casinos et bookmakers, possède quatre voitures et, parfois même, rejoint East Hampton aux commandes de son avion personnel, ce qui constitue assurément son unique acte d'héroïsme. Jack, en effet, ne s'est guère empressé de s'engager dans la Grande Guerre et il y a surtout fait ses armes dans les bordels de métropole.

Mais les meilleures choses ont une fin, même si Black Jack s'est déjà essayé une première fois – sans suite – à des fiançailles. Cette fois, Janet et lui tiennent jusqu'au

mariage, le 7 juillet 1928. En vérité, on n'évoque guère
une grande passion dans leur cas, même si Janet est sans
doute fascinée par cet aîné très mâle que les autres femmes
lui envient et dont l'aura familiale prête à rêver. Jack, de
son côté, sent probablement qu'il est temps de se « caser »
au sein d'une tribu aussi opulente que les Lee. Et puis,
outre que Janet ne manque pas de séduction auprès des
hommes, elle semble avoir su lui résister suffisamment.

Comme il se doit, le mariage est prétexte à une grande
fête à *Avery Place*, pour quelque cinq cents invités ; malheureusement, il est aussi l'occasion d'une violente prise de
bec entre Black Jack et son beau-père. De surcroît, le
voyage de noces vers l'Europe n'est pas une réussite. À
peine embarqué à bord de l'*Aquitania*, voici Jack flirtant
avec Doris Duke – seize ans –, une héritière de l'industrie
du tabac que l'on dit la plus riche adolescente du monde…
Et puis, bien sûr, l'alcool et le jeu sont aussi du voyage !

Tandis que les parents Lee envisagent déjà pour leur fille
un divorce qu'ils refusent pourtant pour eux-mêmes, Jack
et Janet semblent s'accorder sur un mode de vie, ou plutôt
de cohabitation, qui préserve l'essentiel de leurs attentes
respectives, tout en sauvant « à peu près » les apparences.
Black Jack, en effet, continue si bien de courir les jupons
qu'il finit par se faire photographier à côté de sa femme,
tenant « discrètement » la main d'une autre… Et bien sûr,
ô scandale ! le cliché paraîtra dans la presse. Janet, quant à
elle, semble douée pour la vie en (bonne) société. Ses
parents l'ont lancée dans la vie mondaine dès ses dix-huit
ans, par une grande soirée dansante, et elle aime ça. Pour
cette jeune femme ambitieuse, réceptions, honneurs et
concours hippiques semblent ainsi constituer un bonheur
suffisant au bras de ce bel aîné aristocratique. Bref, Janet
s'imagine la vie toute droite d'une femme bien établie,
reconnue et enviée : tout le contraire de Maria, cette trop

irlandaise grand-mère maternelle qui n'a pas su échapper à sa condition et qui, demeurant proche des domestiques, se voit traitée comme tels – une ombre touchante hantant *Avery Place* et disparaissant chaque fois qu'on y reçoit…

C'est dans ce contexte familial et conjugal d'opulence affichée et de déchirements cachés que naît Jacqueline, ce 28 juillet 1929 : cette future Jackie, ainsi que tiendra à l'appeler son père, et que l'on ne peut comprendre que si l'on s'est imprégné de tout cet environnement social, traditionnel et affectif.

Apparemment, la petite fille de l'Amérique vient à la vie dans un monde privilégié et protégé. Et de fait, le jeune couple Bouvier pourrait bien tenir ainsi, cahin-caha, moelleusement installé dans la prospérité, derrière le rideau trompeur des convenances. Jack se montre un père affectueux, et, vingt jours après l'accouchement, Janet obtient déjà une 3e place à un concours d'équitation. Peut-être même la mort dramatique de Bud, le frère de Jack, début octobre, saurait-elle les rapprocher, tant Janet a jadis paru attirée par cet autre buveur, victime d'un divorce et d'une cirrhose ? Peut-être, encore, leur union pourrait-elle résister au baptême de Jackie : ce triste 22 décembre où Jack imposera pour parrain le jeune fils de Bud – Miche, neuf ans –, en remplacement de son beau-père, piégé dans les embouteillages ? Mais la grande histoire rattrape dès octobre les petitesses des parents de Jackie. Sans le savoir, depuis un moment déjà, l'Amérique de la petite fille danse sur un volcan.

La prospérité poussée à ce point – celle des riches – est un leurre. L'agriculture se trouve en surproduction maintenant que l'Europe a recouvré la paix. Depuis 1920, la production industrielle progresse trois fois plus vite que les salaires, et l'offre est bien supérieure au pouvoir d'achat des classes laborieuses. En tout on incite à recourir au crédit, mais cette fuite en avant ne peut suffire à compenser la mauvaise répartition des revenus et à résoudre la question de la sous-consommation. L'Amérique a trop d'or dans ses coffres (près de la moitié du stock mondial) et pas assez de billets en circulation. Le textile, déjà, est en proie à une vive agitation sociale. L'Amérique, surtout, spécule trop. La Bourse s'est faite simple instrument de spéculation. À Wall Street, on achète à terme en ne payant parfois comptant que 20 % des valeurs. Le pays tout entier est ainsi saisi d'une véritable fièvre de la spéculation. En 1929, un million d'Américains boursicotent. En cinq ans, l'indice des prix industriels a triplé, et l'écart se creuse sans cesse davantage entre les cotations et la valeur réelle des entreprises.

Paradoxalement, la confiance en la hausse est à son comble. Le boom économique conforte les républicains au pouvoir. Après Harding et Coolidge, c'est au tour de Herbert Clark Hoover d'être élu triomphalement en 1928. Précisément, l'homme est tenu pour un technicien de la prospérité, et on veut le croire lorsqu'il déclare : « Toutes les causes de pauvreté sont extirpées une fois pour toutes. » Optimisme d'une Amérique où 1 % de la population possède 15 % de la richesse nationale – et la famille de Jackie appartient à ce clan –, aveuglement d'une classe dominante où l'imposition des millionnaires en dollars est réduite des deux tiers en 1926.

Après le charleston et le black bottom, la dernière danse à la mode est le *lindy's hop*, en hommage au saut de Lindbergh outre-Atlantique, en 1927. Comme lui, le volcan économique américain pense pouvoir conquérir le Vieux Monde, mais soudain c'est le krach. La juste valeur des choses rattrape les spéculateurs et avec eux la vie de Jackie. Le samedi 19 octobre 1929, la Bourse baisse de 7 points et 3 millions d'actions changent de mains. Le lundi, elles sont le double. Les indices chutent, on vend à des prix catastrophiques. Le 24, le Jeudi noir de Wall Street, c'est la panique : on brade 13 millions d'actions. Le 29, 16 millions ! Le système s'effondre, la prospérité cède la place à la Grande Dépression. En trois ans, le revenu national se réduit de moitié. Dès décembre, les valeurs industrielles auront perdu le tiers de leur valeur. En 1933, pour certaines d'entre elles, ce sera 90 %. Et bientôt, comme Lindbergh hier, la crise va sauter l'Atlantique et contaminer le Vieux Monde, ébranlant ainsi le socle du capitalisme et l'équilibre politique des démocraties traumatisées par la Grande Guerre.

Car le pire, c'est ce gâchis humain, cet insondable désespoir. Une vague de chômage balaie brutalement une Amérique soudain dégrisée. En 1933, alors qu'on abolit enfin le *Volstead Act* sur la prohibition, on comptera jusqu'à 13 millions de « sans-travail » ; un chef de famille sur quatre sera touché par la crise. L'alcool revient, mais terrible gueule de bois pour un pays hier enivré de prospérité ! Des bandes d'ouvriers en quête d'emploi hanteront ces campagnes affamées où l'effondrement des prix dissuade de récolter. Dans les villes, on vendra les pommes de terre à l'unité, on fouillera les poubelles, on s'entassera dans les hébergements municipaux, on se serrera dans les interminables files d'attente des soupes populaires.

Mais, comme la pauvreté des temps ordinaires, la misère des temps mauvais ne frappe pas l'ensemble de la population avec la même injuste cruauté. Certains, même atteints, s'en sortent mieux que les autres. Et les Bouvier et les Lee sont aussi de ceux-là.

Bien sûr, l'immobilier est frappé de plein fouet, même si l'on achève alors les gratte-ciel les plus prestigieux de New York : le Chrysler Building (343 m), qui dépasse la tour Eiffel en 1930, et surtout le mythique Empire State Building, entrepris en octobre 1929 et dressant sa flèche à

380 m du sol dès le mois de mai 1931. La tête hier perdue dans les nuages, l'Amérique redescend brutalement sur terre. Jim Lee est donc touché par cette débâcle et doit arrêter un certain nombre de projets. Les loyers ont du mal à rentrer, les appartements doivent être morcelés, des immeubles restent en chantier. Mais ce grand bâtisseur sauve l'essentiel – une « fortune » – tandis que les sans-abri construisent des cabanes en carton sur les pelouses chics de Central Park : les « Hooversvilles », du nom de ce président désormais honni.

Pour les Bouvier aussi, c'est plus difficile, même si le Major tente de faire illusion en conservant son train de vie, ses domestiques et les sept chevaux de *Lasata*. Chez eux, seul Michel, le vieil oncle de Jack, s'en sort bien. Ayant investi dans des obligations, ce riche célibataire, doyen futé de Wall Street, ne perd *que* la moitié de sa fortune. Ceci, toutefois, n'empêche pas tout ce petit monde de continuer à passer ses étés à East Hampton ; y compris Jack, cigale déjà endettée, donc très vite rattrapé par la crise.

Pour les années vingt, on attribue à Jack 7 millions de dollars de gains… et autant de pertes ! Lorsque son oncle Michel lui prête 25 000 dollars – le quart de ce qu'il demande –, il parvient à se « refaire » de 2 millions, mais reperd presque tout dès 1934, en investissant dans un garage. Pareil échec n'est pas sans conséquences sur la vie du jeune couple, et donc de Jackie. Janet, qui a mis au monde une seconde fille, prénommée Lee (en fait, Caroline Lee), le 3 mars 1933, est furieuse contre son mari. Surtout, Jack se trouve alors à la merci de son beau-père, qui leur a offert un duplex de onze pièces – crise oblige... – au 740, Park Avenue, et lui a prêté de l'argent contre l'engagement de réduire son train de vie et de lui présenter chaque année un relevé détaillé de ses comptes. Et cela, Jack le vit très mal. Comme une castration diront certains pour justifier ses aventures. Mais peut-être y a-t-il pis encore ? Le Vieux Lee, comme l'appelle son gendre, s'est enfin séparé de son épouse, et, en 1933, il l'a installée avec leur fille cadette dans un appartement de ce même 740, Park Avenue. La proximité de sa belle-mère n'arrange rien pour le père de Jackie ; d'autant plus que son beau-père s'invite souvent chez eux ! Les disputes se multiplient entre Jack et Janet, en présence de Jackie, qui éloigne sagement sa petite sœur, et, en 1936, ils en viennent eux aussi à se séparer.

Le divorce, alors, se passe mal et n'aboutira qu'en 1940. C'est la loi du genre à New York, où l'adultère impose à Janet de requérir un détective, tandis que Jack cherche à se rallier les domestiques et Jackie elle-même ; laquelle, du reste, ne pardonnera jamais à sa mère de l'avoir ainsi séparée de son père. De fait, la vie paraît plus douce avec Jack pour les deux fillettes. Leur père se montre tendre et disponible, ne leur offrant que de purs moments de bonheur, tandis qu'à la maison – un appartement plus petit, avec moins de domestiques – l'ambiance se fait lourde et gifles et fessées plus nombreuses.

En vérité, la mère de Jackie ne décolère pas contre son père depuis qu'elle a dû réduire ce train de vie qu'elle considère comme son dû, et depuis que cette séparation la déclasse socialement, aux dépens de ses ambitions mondaines. Janet s'investit avec brio dans les concours hippiques et tient à apprendre elle-même l'équitation à Jackie, laquelle a tout de même le privilège de jouer à Central Park avec la petite fille de Franklin Delano Roosevelt, le président démocrate triomphalement élu en novembre 1932. Mais pour Janet, ce n'est plus comme avant. Son père voudrait désormais contrôler ses dépenses comme il l'a fait pour Jack, et puis elle a commis l'erreur de jeter ses déboires conjugaux en pâture à la presse. Les deux familles se sont raidies l'une contre l'autre, et surtout, à l'école, ses camarades ne sont pas tendres avec Jackie, enfant brillante mais dissipée, ainsi montrée du doigt.

Tout comme elle a été la petite fille privilégiée de la prospérité, Jackie est aussi la fillette blessée des déchirements de ces parents égoïstes et de cette mère à cran, « abandonnée à elle-même », financièrement et socialement aux abois. Doucement, Jackie et Lee se sont en effet repliées sur elles-mêmes. Confrontée à ces disputes, éclaboussée par les railleries des autres élèves, Jackie s'est inventé un monde de rêves, tout peuplé de bonnes fées – un univers qui, d'un certain point de vue, la rattrapera lui aussi. Ces luttes conjugales, de même, en ont fait une enfant tantôt mélancolique, tantôt exigeante, voire effrontée et véhémente, alors que, paradoxalement, en certaines circonstances, elle sait faire montre d'un très grand sang froid.

Cette attirance frustrée pour son père et cette relative froideur de sa mère ne sauraient toutefois occulter le rôle essentiel de celle-ci dans l'excellence de l'éducation reçue par Jackie, petite fille intelligente et curieuse. Incontestablement, c'est à Janet que Jackie devra de devenir une femme du monde – pour ne pas dire « la femme du Monde » avec un grand M. – et d'avoir atteint dans ce registre ce degré de raffinement social. Tout d'abord, elle l'inscrit elle aussi, en octobre 1935, à l'école Miss Chapin, voie royale pour l'université, où Jackie restera jusqu'à l'âge de douze ans, époque où Janet changera de vie. Ensuite, celle-ci ne passe rien à sa fille et veille elle-même à son éducation. Ainsi, Jackie sait déjà lire en rentrant à l'école et, très vite, elle devra acquérir une orthographe sans fautes. Sa mère, surtout, lui impose un strict apprentissage des bonnes manières : bien s'habiller, bien marcher, bien se tenir, et puis aussi bien parler, avec même cet accent si particulier de la nouvelle aristocratie du Nord-Est. Dans ces conditions, difficile de dire ce qui, dans cette relative froideur et cette retenue de femme du monde, relèvera chez Jackie de l'inné ou de l'acquis, ou bien encore des disputes et de l'ambiance domestique. Au-delà de ce drill social, pour ne pas dire de caste, Jackie montre très tôt des dons réels pour le dessin, passion qui l'accompagnera toute sa vie, et puis elle accède vite à la lecture d'ouvrages sur la danse, qu'elle apprend, et sur l'histoire de l'art, constituant déjà sa bibliothèque. Mais, assurément, on aurait tort de nier le rôle également joué par ses deux grands-mères dans cette éducation exemplaire. Jackie a en effet hérité de la très irlandaise Margaret Merritt Lee le goût des chevaux et de l'équitation, et de la très britannique Maude Sargent Bouvier, des goûts raffinés et ce penchant pour les arts et la culture qui donne son âme à *Lasata*. Dès l'âge d'un an, Janet la monte ainsi sur un poney ; à sept ans, elle commence la compétition et suit les chasses. Au même âge, elle écrit déjà poèmes et nouvelles, qu'elle adresse à son père. Assurément, Jackie est une enfant douée et précoce.

Mais, alors que la Seconde Guerre mondiale vient d'éclater en Europe, voici la vie de sa mère qui bascule enfin dans le bonheur et retrouve sécurité et confort matériels. En 1941, aux Caraïbes, Janet fait la connaissance de Hugh D. Auchincloss Jr, un homme de dix ans son aîné, deux fois divorcé. Il appartient à une famille liée aux Rockefeller, aux Vanderbilt et aux Tiffany, et il a créé une société d'investissements désormais bien assise. L'homme, plutôt corpulent, est bien moins un séducteur qu'un blessé du mariage, aspirant à une vie familiale pour lui-même et ses trois enfants – Yusha, Nina (alias Nini) et Tommy. Gentleman dans l'âme, il est si arrangeant et si calme que d'aucuns voient en lui un « Magnum de chloroforme »… Surtout, il se montre très attiré par Janet.

II

DU VIEUX MONDE AFFECTIF AUX RACINES DU VIEUX MONDE FAMILIAL

1942-1951

L e divorce de ses parents, finalement prononcé au Nevada, État plus arrangeant, a fait s'écrouler un monde pour Jackie. Avec le remariage de sa mère, le 21 juin 1942, l'enfant blessée va devoir lentement apprendre à se reconstruire, en se découvrant elle-même, ainsi que le monde, et en élaborant ses propres défenses : un mélange de maturation culturelle, de replis solitaires et de distance prudente.

Hugh D. Auchincloss Jr est un pur produit de la WASP (*White Anglo-Saxon Protestant*), fleuron de la haute bourgeoisie blanche héritière des premiers colons européens. Surtout, c'est un homme très en vue à Washington et qui se révèle bien plus fortuné que les Bouvier et les Lee. Pourtant, Janet demeure méfiante après son échec avec Jack. En outre, elle sort d'une période d'instabilité où, entre alcool et soirées mondaines, elle cherchait à noyer sa peur de manquer d'argent et d'être exclue du *Social Register*. Son père, le Vieux Lee, l'a très entourée, tandis que ses cavaliers, l'entraînant dans la nuit, l'éloignaient de ses filles et amenaient Jackie à jouer les mères de substitution pour sa petite sœur. En fait, c'est l'entrée en guerre des États-Unis, après l'attaque japonaise du 7 décembre 1941 contre Pearl Harbor, qui va hâter les choses. Janet et Oncle Hughdie (pour Hugh D.) se marient dans la précipitation, alors que le lieutenant de vaisseau Auchincloss grimpe le jour même dans un train militaire pour rejoindre les Caraïbes : affectation très provisoire puisque la mort de sa mère, qui l'enrichit encore par ses intérêts dans la Standard Oil, va le ramener dès septembre à Washington, au ministère de la Guerre. Cette union très heureuse verra ainsi bientôt la naissance de deux enfants : Janet Jr, le 13 juin 1945, et un fils, Jamie, le 4 mars 1947. Désormais, Jackie va donc se trouver écartelée entre trois familles, et bien davantage encore entre cette mère rigide et ce père séducteur, tellement *cool*, qui voudrait capter l'amour exclusif de ses filles alors que leur nouvelle vie les éloigne physiquement de lui et qu'elles vont aborder l'adolescence.

Jackie a treize ans lorsqu'en septembre 1942 elle part s'installer avec sa mère et sa sœur à *Merrywood*, l'immense propriété que son beau-père Hughdie possède à McLean, en Virginie, sur la rive du Potomac opposée à Washington. De style géorgien, l'impressionnante maison de brique, gagnée par le lierre, règne sur vingt-trois hectares de terres et n'a rien à envier à *Lasata* ni à *Avery Place*. Entourée de jardins magnifiques, elle possède écuries, station de lavage auto, courts de tennis, gymnase, et même un ascenseur, une cuisine pour trois cents repas et, luxe extraordinaire pour l'époque, une piscine olympique. C'est un déchirement supplémentaire pour Jackie, qui rompt ainsi avec ses bonheurs new-yorkais. Désormais, d'autres lieux, d'autres gens vont s'imposer dans sa vie, et cette jeune fille déjà blessée, en quête de sécurité affective, va se sentir seule, comme étrangère, et d'ailleurs se rapprocher encore de sa sœur.

Car *Merrywood* n'est pas l'unique domaine de Hughdie. Outre un appartement dans Park Avenue, ce travailleur bien né possède à Newport une terre de cinquante hectares sur les falaises dominant la baie de Narragansett, où la nouvelle famille de Jackie part chaque été. Et, en vérité, *Hammersmith Farm* est bien mieux qu'une simple ferme ! Cette vaste et claire demeure victorienne au toit à coupoles, avec balcons et loggias, se trouve ceinturée d'une terrasse en brique et compte pas moins de vingt-huit pièces et treize cheminées. Elle possède aussi un vaste jardin à la française, avec statues, vasques et bassins, et puis un cimetière d'animaux et mille lieux où se promener, pour des enfants en proie à la mélancolie. L'ambiance y est très différente de celle de *Merrywood*, avec ses trophées de chasse à la place des tableaux de maîtres et des Aubusson, et ses peaux d'ours au lieu des épais tapis d'Orient. Janet et Hughdie sortent ou y reçoivent chaque soir, mais l'endroit est plus confortable que luxueux, même si la mère de Jackie, de plus en plus snob, s'attache à tout redécorer et restyler, jardins compris, ainsi qu'à *Merrywood*.

En vérité, comme *Lasata* et *Avery Place* hier, *Merrywood* et *Hammersmith Farm* resteront pour Jackie de charmants décors de théâtre, aucunement des fenêtres ouvertes sur la cruauté du monde. L'Amérique, pourtant, est en pleine effervescence. Tandis que Black Jack et Janet s'abandonnaient à leurs rancœurs mesquines, Franklin D. Roosevelt tentait en effet d'arracher son pays à la dépression économique et morale. FDR, homme simple, tout de tempérament et de pragmatisme, rend alors son influence au parti démocrate et confiance et dignité aux « oubliés de l'Amérique ». « La seule chose que nous ayons à craindre, c'est la crainte elle-même [...] », déclare-t-il le 4 mars 1933, pour son investiture, alors que dans l'Allemagne humiliée par la défaite, crucifiée par la crise, Hitler vient d'accéder au pouvoir par les urnes. Et, patiemment, cet homme courageux, frappé par la poliomyélite, a créé les outils du *New Deal* : la nouvelle donne. « Le paralytique de la Maison-Blanche », comme l'appellent peu élégamment certains adversaires, réduit les dépenses de l'État, aide à secourir les chômeurs, promeut une politique d'emploi et de grands travaux, surveille les structures de crédit, les banques et le change, abandonne l'étalon-or et dévalue le dollar de près de 40 %. Il parvient ainsi à relever les salaires et les revenus agricoles. Les prix du marché remontent et le pouvoir d'achat augmente ; néanmoins, seule la guerre parviendra à résoudre la question du chômage. Il n'empêche que John Maynard Keynes, nouveau messie de la monnaie, l'approuve et que le peuple lui offre la plus grande longévité politique de son histoire en réélisant en 1937, 1941 et 1945 ce président qui renforce l'autorité de l'État et lui rend la foi en la démocratie.

Jusqu'alors tenue à l'écart du monde, Jackie préfère *Hammersmith* à *Merrywood*, à la vie trop formelle. Pour elle, les séjours y sont l'occasion de lire, d'écrire ou de dessiner face à la campagne, dans sa chambre du deuxième étage, d'observer les navires de guerre de Newport, et puis de s'adonner à de longues promenades à pied ou à cheval dans cette nature qu'elle aime. Car, de fait, c'est là une véritable ferme où l'on peut vivre en autarcie, tout en fournissant la base navale, et où le manque de personnel dû à la guerre amène chacun à mettre la main à la pâte. Jackie, en effet, comme les six autres enfants – car Janet a le mérite de tenir tout ce petit monde en harmonie sous le même toit ! –, aide à entretenir le jardin, à cuisiner et à nourrir les poules. Hier, près de cinquante personnes entretenaient *Hammersmith Farm*, et maintenant non seulement la guerre a tout de suite offert du travail aux millions de chômeurs du pays, mais on manque de main d'œuvre ! Les USA ont pris la tête de la coalition et la prospérité s'y rétablit rapidement tandis qu'ils deviennent le grand arsenal des démocraties. Certains voient en eux une gigantesque chaudière qui, une fois allumée, a une puissance sans limite. Et effectivement, une fois la guerre terminée, se posera la question des surplus.

Pour l'heure, à *Hammersmith Farm*, chacun participe donc à sa manière à l'« effort de guerre » tout en réalisant de « précieuses » économies sur l'entretien du domaine. Car il faut dire que si le très écossais et très fortuné Hughdie Auchincloss est un gentleman charmant, et somme toute attachant pour Jackie et Lee, il sait aussi faire éteindre la lumière en quittant une pièce et, l'hiver, placer en plein air les aliments des congélateurs… De fait, cet avare qui roule en Rolls Royce n'est pas exempt de petits travers. Né d'un père presbytérien, il se montre assez rigide, orgueilleux du maintien de sa famille et, au bout du compte, sans humour ni fantaisie, pour ne pas dire vieux jeu. En outre, dit-on, ses principes n'iraient pas jusqu'à lui interdire de fréquenter les bordels de luxe de Washington ni de posséder une remarquable collection de livres, photos et films pornographiques.

Au final, tout cela produit pour Jackie un climat assez particulier, un univers coupé du réel et surtout de son vieux monde affectif et sensible qui, justement, se délite. Son père, en effet, vit mal ce remariage de Janet qui éloigne ses filles et lui vole cette aînée tant aimée. Désormais, Black Jack va vivre de manière plus étriquée, ponctionné par la pension à verser à Janet, d'autant plus en proie à l'alcool – au point de devoir suivre une cure de désintoxication – et d'une manière aussi plus complexe. Outre ses aventures féminines, on lui prête en effet des jumeaux qu'il aurait faits à une « jolie dame » bientôt repartie les élever en Angleterre… avec son mari. Et puis, en janvier 1948, ce sera la disparition du Major Bouvier, ce grand-père si essentiel dans la maturation sensible de Jackie, le développement de son imagination, son attache à ses racines françaises et son ouverture aux lettres et aux arts. Cette perte affecte la jeune fille, qui voit là son premier mort et cache un bouquet de violettes dans le cercueil. Mais cette perte, aussi, ramène brutalement les Bouvier sur terre. Le Major a vécu grand train et aidé des proches, alors il ne laisse que 600 000 dollars après impôts, dont 35 000 pour sa maîtresse… Black Jack, déjà « servi » par ses emprunts, ne reçoit que peu d'argent, et bientôt *Lasata* doit être vendue par ses sœurs. Autre séparation cruelle qui ne laisse plus à Jackie que les souvenirs de ces merveilleux étés à East Hampton et de ces repas dominicaux où elle était dans *sa* famille et *sa* maison.

Face à ces grands chambardements du quotidien, des racines et des sentiments de son vieux monde, Jackie se réfugie dans une certaine réserve, voire une solitude, mais aussi dans l'étude et de nouvelles passions. Durant deux ans (rentrées 1942 et 1943), elle suit sa scolarité en externe, à la Holton-Arms School de Washington et s'y éprend d'histoire et de littérature anglaises, de Shakespeare mais aussi de Daphné du Maurier, de poésie, et tout particulièrement de latin. Servi par ces précieuses humanités, son style épistolaire – haché de tirets – s'affirme et lui vaut l'admiration de sa mère, qui voit en elle un écrivain. Son père, lui, est déjà conquis, et l'irrésistible Black Jack, qui ne manquera jamais de lui rendre visite, séduira tout autant, pour sa plus grande fierté, ses petites camarades.

Malgré tout, et même si cela ne l'enchante pas intimement, à l'automne 1944, Jackie part en pension à la Miss Porter's School de Farmington, dans le Connecticut – où Lee la suivra bientôt. C'est dire à quel point elle est mal dans cette nouvelle vie de famille où elle se sent « une pièce rapportée ». Tandis qu'elle se construit intellectuellement, elle observe plus froidement la vie et les gens, et un sentiment d'insécurité la gagne. Avec les angoisses financières et mondaines de sa mère, elle a perçu toute la précarité du confort et de la reconnaissance sociale. En outre, avec les 50 dollars octroyés chaque mois par leur seul père, Jackie et Lee ne vont guère loin au milieu de toutes ces jeunes filles de bonne famille. Ce pingre d'Oncle Hughdie, lui, ne donne rien, et toute facture à leur nom est aussitôt adressée à Black Jack, tandis que, dans le même temps, il honore les dépenses les plus extravagantes de Janet. Leur grand-père Lee lui-même ne fait rien pour elles, alors qu'il a offert à leur mère, déjà très gâtée, une Jaguar. C'est d'ailleurs le Major Bouvier qui a fait acheminer jusqu'à l'école *Danseuse*, la jument de Jackie, et versé les 25 dollars de pension mensuelle. Jackie, dès cet âge, se montre ainsi préoccupée par l'argent. Et puis surtout, il y a eu autour d'elle tout ce chassé-croisé de sentiments fragiles ou furtifs, tous ces hommes et ces femmes allant et venant. Elle s'interroge sûrement sur la confiance à accorder à autrui et sur son véritable chez-moi. Et puis, à quinze ans, sans doute cherche-t-elle aussi à savoir qui est exactement ce « Moi » mystérieux dont elle signe les poèmes adressés à son père et qui jure en s'écriant « Caramba ! »

Jackie passera trois années à la coûteuse et vénérable institution Miss Porter. Là, elle reçoit l'empreinte d'une certaine conception aristocratique de la discipline, tout en se refusant à tolérer l'ostracisme éloignant des élèves de couleur. Elle y apprend à avoir du maintien, ce qui ne saurait nuire à son évidente ambition, et elle y améliore son élocution, tout en s'exprimant déjà de cette manière un peu haletante qui restera sa marque. Jackie conserve assurément son fond solitaire et ses penchants autoritaires ; pourtant, Jackie « Borgia » sait se rendre populaire auprès de ses camarades. Tout d'abord par ses succès faciles, presque naturels, en équitation ; ensuite en participant au club de théâtre et au journal de l'école. Et puis, touchée par la mort de Roosevelt, terrassé par une hémorragie cérébrale le 12 avril 1945 – juste avant la capitulation allemande ! –, elle s'intéresse aux grands hommes, dont Jefferson et Franklin, ainsi qu'aux grands militaires. Car elle continue à lire beaucoup, et Lewty Lewis, beau-frère de Hughdie, lui offre des livres d'art et des classiques artistement reliés. Au hasard de ses lectures, outre Diderot, elle se découvre ainsi une nouvelle passion française ; mieux, un type féminin qui gommera cette Reine du cirque qu'elle voulait être, enfant, et un modèle qui la hantera toute sa vie : Julie Récamier.

Cette « gloire universelle » – qu'elle deviendra elle-même – incarne cette société aristocratique qu'elle côtoie, et personnifie tout ce qu'elle admire. Son salon a reçu tout ce que l'Europe comptait alors de génies politiques et diplomatiques, littéraires et artistiques. Mieux, cette superbe déesse vivante, toute de beauté, de féminité et de séduction, est bonne et spirituelle. Cette brusque révélation accuse d'autant plus la pente naturelle de Jackie vers une France dont la Résistance l'a fait rêver et dont le général de Gaulle lui a inspiré le nom de son chien : Gaullie…

Parallèlement à tout cela, la petite Jackie grandit et devient une jeune fille. D'abord trop longue et trop mince pour son âge, elle est jugée moins jolie que sa cadette ; néanmoins, outre l'équitation, c'est une sportive remarquable en tennis et en natation, et puis, justement, elle est en avance sur cet âge. Ainsi, Jackie ne manque pas d'invitations à des soirées dansantes, mais elle fait le plus souvent passer en premier ses études, le dessin, l'écriture ou la lecture. Malgré sa nature solitaire, sa relative difficulté à se lier, en laquelle certaines voient un côté « bégueule », elle demeure sociable et se laisse même entraîner à fumer, jusqu'à devenir d'ailleurs une véritable « fumeuse à la chaîne ». En bien des domaines, Jackie affirme maintenant son authenticité, voire son anticonformisme, et puis aussi son style ; par exemple en préférant les capes à la tyrannie de la mode des fourrures et des sages imperméables blancs des jeunes filles de sa caste. De même, elle opte alors pour des jupes moins classiques, des coiffures que l'on remarque et des maquillages appuyés. De toute façon, sur elle, même les vêtements les plus simples trouvent de l'allure. Bientôt, enfin, lorsque les galants se feront plus pressants, elle saura se protéger avec un art subtil du flirt et le maintien d'une certaine distance. D'ailleurs, rien ne la presse en matière de mariage. Ses pentes ne sont pas celles des garçons de son âge, et, si elle ignore encore qui elle est au juste, elle sait déjà très bien ce qu'elle ne veut pas devenir.

À peu de semaines près, justement, la fin de sa troisième année à la Miss Porter's School coïncide avec les dix-huit ans de Jackie : l'âge traditionnel pour faire son entrée dans le monde. L'été 1947 est ainsi pour elle la saison des fêtes. Tout d'abord à *Hammersmith Farm*, où, il est vrai, quelque trois cents invités célèbrent en même temps le baptême de son demi-frère Jamie. Ensuite, au très chic Clambake Club, où l'on réunit encore face à la mer plusieurs centaines d'invités de choix et où Jackie se distingue en préférant une simple robe de tulle blanc à une robe Dior. Un journaliste la présente ainsi comme la débutante de l'année et, outre ses traits « classiques », voit en elle « l'élégance d'une porcelaine de Sèvres ». Et assurément, la référence à l'art français convient bien à Jackie, qui d'ailleurs n'attendra guère pour partir découvrir le Vieux Monde et y humer avec bonheur le parfum de ses origines Bouvier – lesquels sont écartés de ces fêtes.

À l'automne 1947, poussée dans son choix par sa mère, Jackie entre à l'université de Vassar, à Poughkeepsie, une ville plantée sur l'Hudson, à une centaine de kilomètres au nord de New York. Et, bien entendu, c'est encore Jack qui paie les 1 600 dollars de scolarité… Cet établissement en pointe destiné aux jeunes filles est, de plus, francophile. Jackie obtient là encore des résultats remarquables, sans pour autant renoncer aux sorties et au flirt. Non seulement son statut de débutante de l'année lui a valu la curiosité des garçons, mais, au-delà de son élégance discrète et d'une apparence ingénue propre à la protéger, chacun sent en elle quelque chose de « spécial » et d'insaisissable. Bientôt, d'ailleurs, son père lui rappellera l'importance de la réputation pour une femme et lui reprochera de s'afficher en compagnie de Serge Obolenski, prince russe certes réputé meilleur valseur de New York... mais âgé de soixante ans passés. Ce à quoi Jackie fera observer à Black Jack que sa petite amie n'est guère plus vieille qu'elle !

En récompense de ses résultats, pour ses dix-neuf ans, Jackie part en voyage en Europe avec trois camarades chaperonnées par Helen Shearman, son ancien professeur de latin d'Holton-Arms. Le temps est alors aux paquebots de prestige et, le 9 juillet 1948, elles embarquent à bord du *Queen Mary*, à destination de l'Angleterre. Là, bien plus que par une garden-party à Buckingham, Jackie est frappée par la misère des sans-abri d'un Londres encore en partie sous les ruines des bombardements. Au contraire, hier épargnés, Notre-Dame et Paris la charment, Versailles l'impressionne et le Louvre lui offre la brusque révélation du portrait de son icône, Mme Récamier, peint par David. Enfin, un détour par la Côte d'Azur et la Suisse la porte bientôt vers l'Italie, seule vraie rivale esthétique de la France, où elle visite tour à tour Milan, Rome, Vérone, Venise et Florence. Au bout du compte, ce trépidant périple, plus culturel et sensible que touristique, ressemble fort à un voyage initiatique. Elle glisse ses pas dans les traces de notre culture classique, et, lorsqu'elle revient, le 25 août 1948, absolument séduite, c'est avec la ferme intention de repartir dès que possible. Pour cela, elle s'inscrit au printemps suivant au Smith College, qui lui permettra de suivre à l'étranger sa dernière année d'études. Et pour convaincre ses parents, notamment Black Jack, meurtri par la perspective de cet éloignement supplémentaire, elle use d'un chantage terrible pour l'époque : devenir mannequin...

Le 24 août 1949, pratiquement un an jour pour jour après son retour, Jackie repart ainsi pour la France, la terre des Bouvier. Six semaines intensives de langue à Grenoble perfectionnent son français, et puis elle rejoint la Sorbonne pour se former à l'histoire de l'art et de la France. L'École du Louvre lui enseigne aussi les arts, et l'École libre des sciences politiques, la diplomatie. Jackie se donne les meilleurs atouts pour être une tête bien faite. Pour se loger, elle loue une chambre dans un appartement sans grand confort, mais tout de même avenue Mozart (au 78), chez une comtesse : Mme Guyot de Renty. À Paris, là encore, elle recherche plutôt des sorties culturelles – théâtre, ballet, opéra, expositions –, mais sans dédaigner pour autant les cafés chics : La Coupole, le Dôme, Le Café de Flore ou Les Deux-Magots... Alors qu'elle découvre les cartes d'alimentation, elle ne dédaigne pas d'aller jouer les élégantes en fourrure au bar de l'hôtel Ritz. Au bout du compte, vraiment, qu'il s'agisse des gens, des choses ou des lieux, Jackie n'aime guère ce qui est « ordinaire ». On peut ainsi la voir aussi bien entourée d'intellectuels français que de banquiers anglais, à cheval sur la moto d'un futur scénariste américain que montant au Bois de Boulogne en compagnie d'un conseiller du président du Conseil, Georges Bidault.

C'est alors que l'on observe la première relation sentimentale notable de Jackie. L'espace de quelques mois, tandis qu'elle s'abandonne à Stendhal, on la voit en compagnie d'un fils d'ambassadeur dont on ignore s'il a été son amant et même s'il a su lui inspirer plus que de l'amitié. Les mystères de Paris...

Cette année française est coupée par la venue de sa mère et de Hughdie, qui la rejoignent en février 1950 pour l'entraîner vers la Bavière et l'Autriche, autre important foyer

culturel du Vieux Monde. Au-delà de l'horreur, la visite que
Jackie effectue au camp de Dachau, aux cendres encore
tièdes, lui inspire de l'indignation, mais ne suffit pas à lui
faire rejeter en bloc la culture et le peuple de l'Allemagne –
cette fille jadis chérie de la France. Son regard historique
gagne en élévation et lui permet d'appréhender plus justement la vraie vie, loin du cocon protecteur de *Lasata*, hier,
et de *Merrywood*, aujourd'hui. Après la misère à Londres et
la mort en Bavière, grâce au sens de l'économie du très millionnaire Auchincloss, elle découvre avec bonheur la simplicité des voyages en seconde classe et, pour la première
fois, elle a le sentiment de vraiment voir les choses et les
gens. Sans doute portée par cette jubilation constante de la
découverte, elle obtient ainsi un prix d'excellence et, com-
blée, profite de l'été pour faire un nouveau détour dans le
Midi, en compagnie des deux filles de la comtesse, avant de
partir cette fois à la découverte de l'Écosse et de l'Irlande,
ce versant Lee de ses origines que sa mère préfère gommer,
mais où elle-même savoure le contact des gens simples.
Sans doute Jackie songe-t-elle alors à l'ombre trop modeste
de cette grand-mère Maria désormais disparue. Enfin, après
ce voyage avec Yusha, ce fils de Hughdie peut-être hier
attiré par elle, fin août 1950 elle regagne New York et
retrouve son père, opéré de la cataracte.

Black Jack voudrait alors la voir revenir pas trop loin de
lui, à Vassar, mais, bien sûr, Janet la convainc de s'inscrire
près d'elle, à Washington. Ainsi, Jackie passe sa dernière
année d'études de littérature française à l'université George-
Washington, très réputée pour le français. Sa mère, tout de
même, s'alerte lorsqu'elle s'inscrit au 16e Prix de Paris, orga-
nisé par *Vogue*, et remporte ce concours de rédacteur ouvert
à quelque 1 280 étudiants de 225 universités. Outre son
portrait par le célèbre photographe Horst P. Horst, ce succès
doit lui valoir six mois de stage dans les bureaux du

magazine à New York et, surtout, autant à Paris, dont elle est tombée amoureuse. Janet et Hughdie redoutent qu'elle se détache de son pays et, la faisant douter d'elle-même, lui font refuser le bénéfice du prix en échange d'un nouveau voyage en Europe, avec sa sœur, cette fois.

C'est ainsi que, diplôme en poche, Jackie embarque le 7 juin 1951 à bord du non moins prestigieux *Queen Elizabeth*, mais en troisième classe, partageant avec Lee la cabine d'une dame très âgée. Ce « *Special Summer* » décrit non sans humour dans leur album de dessins et de poèmes les conduira tour à tour à Londres, où elles achètent une vieille voiture, en France, en Espagne et en Italie. Grande aventure formatrice, assurément, pour les deux sœurs, qui partagent leur temps entre la découverte du monde et des gens, les mondanités et la fréquentation des garçons. Cet été-là, Jackie et Lee s'approchent ainsi davantage de la « vraie vie », mais sans perdre pour autant le bénéfice des relations de leur classe. Ainsi, en Espagne, elles rencontrent l'ambassadeur des États-Unis ; à Venise, elles croisent une chanteuse lyrique réputée, tandis que Jackie prend des cours de dessin auprès d'un bel Italien ; en Toscane, surtout, elles sont reçues dans la villa de Bernard Berenson, une manière de vieux sage de quatre-vingt-six ans, fameux critique d'art, grand collectionneur et spécialiste reconnu de la Renaissance. Moment rare et fondateur, sans doute, pour cette Jackie de bientôt vingt-deux ans. L'homme, si loin du chaos du monde et des obsessions liées à l'argent, devine Jackie et lui conseille d'épouser quelqu'un qui la stimule et qu'elle stimule en permanence. Plus largement, il évoque « les gens qui appauvrissent l'existence et ceux qui l'enrichissent ». Une formule qui ne saurait laisser indifférente une jeune femme voulant fuir l'ordinaire. Et, justement, l'extraordinaire va bientôt se présenter à elle en rentrant au pays…

III

JACKIE ET JACK : À LA RENCONTRE DE L'EXTRAORDINAIRE

1951 1953

Jackie et Lee regagnent les USA le 15 septembre 1951 et, tandis que la cadette intègre l'université Sarah-Laurence, l'aînée se trouve confrontée à des choix professionnels et sentimentaux.

Jackie possède des prédispositions pour l'écriture – *Vogue* l'a observé – et puis la presse l'attire. Grâce à l'entregent de Hughdie, elle entre au *Washington Times-Herald* : d'abord avec de petits boulots, puis comme photographe enquêteur responsable d'une rubrique au contact de la rue et de l'actualité. Se mettant vite à la technique photo, selon certains, elle produit alors des portraits emplis d'humanité, et Frank Waldrop, le rédacteur en chef, remarque son caractère professionnel et sa volonté de faire carrière. En fait, au-delà de cet arrivisme, d'autres voient plutôt en cette « enquêteuse-minute » un médiocre reporter aux images jamais au point, une « pauvre petite fille riche » guère prête à faire des sacrifices et moins à l'aise avec les gens de la rue qu'avec « ceux de la haute ». « On a fait tout un plat de sa vie de reporter, dira son "amie" Lucky Roosevelt, alors que c'était zéro. » Mieux vaut parfois ne pas avoir d'amis.

De retour au pays, Jackie a repris une relation sentimentale avec un certain John G. W. Husted Jr, jeune homme bon teint de Wall Street et authentique rejeton

WASP de ce *Social Register* si cher à sa mère. Cet enfant de la Bourse est amoureux et, pour Noël 1951, il lui offre une bague en saphir et diamant provenant de sa propre mère. Le 21 janvier 1952, le *New York Times* annonce donc leurs fiançailles, mais le projet de mariage va avorter. Mesurant soudain les faibles revenus du fiancé, Janet finit par gifler sa fille – de vingt-deux ans ! –, laquelle, du reste, redoute de s'ennuyer avec cet homme d'argent… qui n'en a pas (17 000 dollars par an) et qui n'est pas sans lui rappeler le sinistre Oncle Hughdie. Jackie recherche des hommes plus vivants et, de fait, bientôt elle ne sera pas déçue. Au printemps 1952, elle rend donc sa bague à John Husted. À ce moment-là, il est vrai, elle est déjà la proie docile des manœuvres matrimoniales de Charles et Martha Barlett, un couple d'amis de Georgetown, faubourg chic de Washington, qui, eux, croient connaître celui qui conviendrait à Jacqueline Bouvier : un certain John Fitzgerald Kennedy.

En vérité, John F. Kennedy – dit Jack, comme le père de Jackie – n'est pas un inconnu pour la jeune femme confrontée à sa liberté. À moins de trente-quatre ans, le voici déjà à son troisième mandat de représentant du Massachusetts au Congrès. Et puis, l'été précédent, elle a séjourné dans la magnifique villa de la comtesse Anna Pecci-Blunt, personnalité italienne dont le fils, Dino, se trouve être un ami de JFK. Mieux encore, au printemps de cette même année 1951, elle l'a rencontré chez les Barlett et elle a senti que cet homme empli d'humour et d'esprit aurait une influence profonde, voire troublante, sur sa vie. Le couple Barlett ne s'y est guère trompé et, après avoir orchestré un contact mondain à Palm Beach, en Floride, il les réunit à nouveau à leur table, le 8 mai 1952, pratiquement un an jour pour jour après cette première rencontre faussée par l'arrivée de John Husted. Cette fois-ci, Jackie et

Jack ont tout le loisir de s'apprécier. Lui est frappé par son intelligence, plus encore que par son charme et son style très originaux. Elle est plus impressionnée par ce héros de la guerre qui a su demeurer simple, et par cet homme de sang irlandais, lui aussi, pour qui l'argent semble être une simple utilité alors qu'il appartient à l'une des familles les plus riches des États-Unis.

On ne saurait, en effet, évoquer JFK, et a fortiori son image et sa carrière politique, sans insister sur la réussite et l'immense fortune de cette tribu irlandaise si étrangère au WASP : 350 millions de dollars actuels, au moins, lors de cette rencontre – un pactole qui appelle un détour du côté de cette saga familiale.

Bien que moins touché que d'autres par la famine due à la maladie de la pomme de terre, Patrick Kennedy, l'arrière-grand-père de Jack, a quitté la ferme familiale pour tenter sa chance en Amérique. Débarqué près de Boston en 1849, il s'y marie et devient tonnelier, avant de périr du choléra en 1858.

C'est son fils, Patrick Joseph Kennedy, le grand-père de Jack, qui donne alors son assise financière et sociale au clan. Dur à la peine, dissimulateur, PJ débute comme débardeur sur les quais, puis ouvre un bar où sa popularité lui permet d'entrer en politique, peut-être grâce au lobby de l'alcool. Élu à vingt-sept ans à la Chambre des représentants du Massachusetts, puis au Sénat, il acquiert un second établissement et un magasin de spiritueux avant d'épouser la fille d'un autre tenancier de bar et d'accéder enfin à des affaires d'envergure. Délégué à la convention démocrate, il se voit confier l'électrification de Boston, qu'il « truande » allègrement, puis il investit dans les charbonnages et la banque. Ainsi, contrairement à une légende véhiculée par la presse, son unique fils, Joseph P. Kennedy, alias Joe, ne connaît donc pas une enfance de misère mais une certaine aisance dans une résidence du front de mer, peuplée d'une nombreuse domesticité, et même sur un yacht de dix-huit mètres commandé par un ancien amiral ! PJ est déjà un homme sans vergogne, avide d'argent et de pouvoir, un banquier et un politicien établi sachant monnayer les contrats et frauder les élections à coups de pots-de-vin et de secours aux miséreux. Joe ne va guère montrer plus d'états d'âme…

En dépit de la fortune paternelle, Joe, le propre père de Jack, s'exerce à la vie dans de petits métiers durant ses primes études : vendeur de journaux, employé d'une chemiserie et même éleveur de pigeons ! Il ne brille guère dans ses études ; pourtant, il intègre Harvard, sans doute grâce à John Francis Fitzgerald, maire de Boston, plus ou moins complice de son père et dont il fréquente la fille, Rose. Là, il n'excelle pas davantage, si ce n'est en offrant des caisses d'alcool pour s'attacher ses professeurs. Diplômé d'Harvard, il se vante bientôt d'être le plus jeune directeur de banque des États-Unis, mais il oublie de signaler que l'argent vient de ses proches et, surtout, qu'il ne compte pas les rembourser… On s'interroge sur ses sentiments pour Rose ; pourtant, il épouse la fille du maire de Boston en 1914 – quel tremplin ! – et lui donnera neuf enfants : Joseph, John (né le 29 mai 1917), Rosemary, Kathleen, Eunice, Patricia, Robert (dit Bob), Jean Ann et Edward.

Toujours soucieux de son seul intérêt, Joe Kennedy s'épargne de partir combattre en France en 1917 – comme Black Jack. Grâce à son beau-père, surnommé Honey Fitz ou le Petit Napoléon, il participe à l'effort de guerre en qualité de directeur adjoint d'un chantier naval. En 1919, Joe s'initie à la Bourse dans une maison de change de Boston et en détourne les informations confidentielles. Il capte alors des sommes considérables en mettant artificiellement en valeur certaines actions. Mais, déjà, Joe a trouvé une meilleure source de revenus. Le vote de la prohibition, le 29 janvier 1919, le ramène aux sources du succès familial, puisqu'il fournit en alcool les syndicats du crime. Plus tard, Frank Costello, acoquiné à Lucky Luciano, affirmera avoir ainsi aidé Kennedy à devenir riche. Après la prohibition, Joe deviendra du reste le principal distributeur de scotch du pays. Ce n'est qu'un début.

Au milieu des années vingt, Joe investit dans le cinéma, une « mine d'or » où l'on croise tant de jeunes beautés ! La création de la RKO est alors pour lui l'occasion d'abuser les actionnaires de Pathé, doublant au passage son ami Guy Currier, avocat ayant facilité son ascension. Mais on le soupçonne d'avoir fait pis en montant une histoire de viol contre un propriétaire de salles de spectacle. Le malheureux échappera de justesse à cinquante ans de prison, mais, pris à la gorge par la médisance, il devra lâcher pour 3,5 millions de dollars ce réseau que Joe lui proposait hier d'acheter 8. Quant à sa prétendue jeune victime, elle mourra dans d'étranges conditions... Mais assurément, la plus jolie conquête de Joe est Gloria Swanson, la star du cinéma muet. « Diaboliquement attirante », cette divine créature de vingt-huit ans se laisse séduire à Palm Beach, en janvier 1928, pendant que son mari se trouve en mer. Gloria est aussi une femme d'affaires et Joe se glisse dans ses intérêts. Ainsi, lorsqu'il la quitte en novembre 1930, c'est parce qu'elle lui réclame des comptes pour une voiture qu'il a offerte avec son argent. Quelle aventure tout de même ! En mai 1929, envoûté par elle, il était resté auprès de Gloria, à Hollywood, tandis qu'on enterrait son père. Il est vrai que PJ, ce jour-là, ne pouvait plus l'aider en rien.

Quelle année, du reste, que 1929 pour Joe Kennedy ! Mis en garde contre ses spéculations par Guy Currier, il déjoue le krach en achetant des obligations. Mieux, il réalise d'énormes profits en vendant à découvert des titres dont il anticipe la dévaluation. Ce faisant, il participe à l'effondrement du marché. Quarante ans plus tard, en 1969, le *New York Times* estimera ainsi sa fortune à 500 millions de dollars, ce qui pourrait du reste n'être qu'une sous-estimation, tant ce requin de la finance possède l'art de dissimuler. D'ailleurs, sa famille elle-même ignore le détail de ses revenus. Joe, en tout cas, multipliera les avoirs dans tous les domaines : immobilier, pétrole, construction maritime, théâtre... Il investira même dans un champ de courses en Floride et, surtout, il s'offrira l'immense Merchandise Mart Building de vingt-quatre étages, à Chicago, un centre commercial qui lui rapportera à lui seul 20 millions de dollars par an.

Alors, certes la réussite matérielle de Joe Kennedy est exceptionnelle, sa vie, un fabuleux roman, mais pourquoi donc s'attarder pareillement sur le parcours hors norme de celui qui deviendra bientôt le beau-père de Jacqueline Bouvier ? Eh bien, tout simplement parce que ce n'est qu'à travers sa fortune et les multiples facettes de ce chef de clan que l'on peut comprendre ce que sera demain la vie de Jackie.

Joe, en effet, n'est pas seulement un prédateur économique et un manipulateur, il est un homme de pouvoir et flirte dangereusement avec la politique et les institutions. Bailleur de fonds de Roosevelt lors de son élection, il enveloppe son fils James de son influence et, outre la présidence de la Commission maritime, il se voit confier la direction de l'agence chargée du contrôle des marchés financiers. Autant faire entrer le loup dans la bergerie... mais Roosevelt estime que « les bons voleurs font les meilleurs gendarmes ». Mieux encore, Joe accède en 1937 au poste très envié d'ambassadeur à Londres – une catastrophe pour lui, tant il va accumuler les faux pas durant trois ans. Continuant à spéculer, il se veut isolationniste face à la montée du nazisme, voire compréhensif avec les dictatures, y compris sur la question juive. Il déclare que la Grande-Bretagne ne pourra pas tenir face au Reich ; de lui-même, il tente de rencontrer Hitler et cherche des informations compromettantes contre son propre président. Mais encore, durant le Blitz, il se réfugie à la campagne et s'inquiète de trouver de la place sur les bateaux pour son commerce d'alcool. Lorsqu'il regagne les États-Unis en 1940, il y est aussi impopulaire qu'à l'étranger, et bientôt, à Thanksgiving, Roosevelt le met à la porte de la Maison-Blanche. Dès lors, Joe va renoncer à toute carrière officielle, et c'est dans l'ombre qu'il va s'avérer le plus redoutablement efficace, notamment en poussant ses propres enfants.

De fait, Joe Kennedy est aussi un *pater familias* au pouvoir sans partage, un tyran bien caché derrière une générosité débonnaire. Et tout d'abord, parce qu'il règne en maître sur l'argent du clan. Dès 1926, il institue des fonds de placements en fidéicommis à hauteur de un million de dollars pour chacun de ses neuf enfants et pour son épouse. Ce dispositif confidentiel évite les frais de succession et libère ses bénéficiaires du souci d'avoir à gagner de l'argent ; ceci, dit-il, afin que chacun puisse lui « cracher à la figure ». De fait, la part de Jack vaudra 6 millions de dollars dès 1938, le double en 1960. Mais en vérité, à travers ses administrateurs, Joe maintient son monde sous tutelle. Ce lien financier lui aliène ses enfants et l'autorise à orienter leur vie vers ce qui le fascine, à savoir le prestige et le pouvoir. Son argent, ses réseaux, ses méthodes font de lui l'ordonnateur du destin de ses fils et feront du clan la plus importante dynastie politique du pays : trois membres du Congrès, trois sénateurs, un ministre et le premier président catholique irlandais. Mais à cette tutelle s'ajoute une influence plus virile sur ses fils. Ainsi, Kay Kammer, une championne de tennis, se dira-t-elle stupéfaite de voir à quel point Joe contrôlait Jack. « Je pense que mon destin est ce que mon père veut qu'il soit », admet-il lui-même tristement.

De fait, ce « détour » du côté de Joe Kennedy nous ramène tout droit à Jackie. Certains penchants du père se retrouvent chez Jack et ne sont pas sans conséquences sur la vie de Jackie. Tout d'abord, Joe est un homme « caméléon » effaçant soigneusement ses traces et ne confiant à chacun qu'un fragment de ses secrets. Sa main droite ne sait pas ce que fait la gauche… Jack, de même, cloisonne, ne se livrant en entier à personne. Ensuite, Joe et Jack sont tous deux d'incurables coureurs de jupons !

Jackie est séduite lorsqu'elle rencontre Jack avec cette longue silhouette d'étudiant dégingandé, ces yeux gris pétillants et cette tignasse tirant sur le roux. Son charme est tangible, et il a déjà cette réputation de redoutable séducteur entouré d'un escadron de jolies filles, mais, au-delà de son propre art du flirt, comment la jeune fille si bien élevée du très presbytérien *Merrywood* pourrait-elle mesurer l'exacte réalité de ce goût pour les femmes ? En vérité, Joe est un phallocrate et un obsédé, et Jack possède une libido très exigeante, à la manière d'un Napoléon III. Mais il y a pis : « une atmosphère presque incestueuse » chez les Kennedy, où les mâles se « refilaient » leurs femmes. « Entre son vieux et lui [Jack], déclarera Truman Capote, c'était la compétition permanente à celui qui se ferait le plus de femmes. » Et de fait, Joe n'a aucun complexe, et, quand il entre quelque part, il prend toute la place, dira Janet Des Rosiers, qui fut sa secrétaire et sa maîtresse durant neuf ans. Joe courtise les amies de ses fils, tripote les femmes mariées dans les soirées, vante l'intérêt de son entregent à des mannequins et à de jeunes beautés de la haute société. Il tente de séduire Grace Kelly et Joan Fontaine, et même une jeune fille de seize ans repérée en couverture de *Vogue*. Marianne Strong, agent littéraire, raconte l'avoir vu au restaurant, mangeant d'une main, l'autre sous la jupe de sa voisine. Ainsi, la journaliste Doris Stet estime que « Joe Kennedy représentait le summum de la vulgarité ».

Malheureusement pour Jacqueline Bouvier, John F. Kennedy, sur ce plan, ne vaut guère mieux. « Jack n'avait aucun respect pour les femmes, aucun », rapporte son ami Vic Francis. Il pince les filles dans la salle de cinéma de la maison familiale, se fait surprendre en train d'en posséder une sur une table et note les coordonnées des call-girls fréquentées par ses amis. Bien plus que Black Jack hier, bien mieux que son propre père aujourd'hui, il a plusieurs filles à la fois : mannequins ou danseuses, étudiantes ou infirmières. Il n'a que l'embarras du choix et s'en désintéresse vite. « Il lui suffisait de les regarder pour qu'elles trébuchent, » dira Robert Stack. De fait, s'il est têtu, parfois autoritaire, cet homme énergique est aussi terriblement séduisant, parce que malin, curieux et gentil. « Je suis comme Bobby, avouera leur père. Je fonctionne à la haine, contrairement à Jack, qui pardonne à tous ses ennemis et les courtise. »

Tels sont le clan et l'homme auxquels Jackie va se lier après ce repas chez les Barlett, et aucune éducation ne prépare à cela. La jeune femme va devoir puiser dans toutes ses qualités personnelles pour se montrer à la hauteur. Et sur cette capacité admirable, un homme ne va pas se tromper : Joe Kennedy.

Mais pour l'heure, passé ce repas, encore faut-il que la séduction opère dans les deux sens, entre Jackie et Jack ; d'autant plus que ce politicien prometteur se trouve engagé dans la course au Sénat.

À vrai dire, au-delà de son charme naturel et intellectuel, ce play-boy de Jack ne manque pas d'atouts face à cette cadette de douze ans découvrant en lui une manière d'homme « dangereux », comme son propre père. Outre sa position politique établie, il l'impressionne par le best-seller tiré de sa thèse : *Pourquoi l'Angleterre dormait ?* Et puis il a la réputation d'avoir fait une belle guerre dans le Pacifique. En août 1943, le *New Yorker* a salué sa conduite héroïque pour sauver ses hommes après que sa vedette lance-torpilles PT 109 eut été éperonnée par un destroyer japonais. À cela s'ajoutent les penchants tantôt altruistes, tantôt égoïstes de Jackie. Il y a en effet une touchante fragilité chez Jack : tout d'abord cette pathétique soumission à son père, mais surtout ce peu de santé qui lui fait côtoyer sans cesse la douleur et qui, en exposant parfois sa vie, l'incite sans doute à brûler la chandelle par les deux bouts. Jack, ce noceur peut-être habité par l'intuition d'une mort prématurée, traîne en effet maladies et handicap depuis l'enfance. Une jambe plus courte que l'autre, rescapé de la scarlatine à trois ans, il est si maigre et si faible en 1935 (61 kg pour 1,83 m) qu'il doit abandonner l'université de Princeton. Bien que sportif, il a de nouveaux problèmes à Harvard en 1937, puis est blessé au dos à la suite d'un match de football américain. 1944 le voit ainsi opéré de la colonne vertébrale puis du rectum. En 1946, pour son élection au Congrès, il se déplace avec des béquilles. En 1947, surtout, un médecin diagnostique l'épuisante maladie d'Addison : une dégénérescence des glandes surrénales longtemps considérée comme mortelle, car destructrice du système immunitaire. Jack devra ainsi subir des injections quotidiennes d'hormone de synthèse, puis des pastilles de diffusion implantées dans les cuisses, enfin cortisone et cocaïne.

Jackie, de son côté, éprouve sans doute le besoin de s'affranchir de la tutelle de sa famille. La modicité de son salaire (56 dollars par semaine) ne lui permet pas de mépriser l'intérêt d'un beau mariage. En outre, elle se trouve bientôt cernée de grandes manœuvres matrimoniales : tout d'abord l'union d'Eunice Kennedy avec Robert Sargent Schriver Jr, puis celle non moins fastueuse de sa propre sœur, Lee, avec Michael Canfield, le fils d'un éditeur new-yorkais.

Jack, quant à lui, est séduit par le charme et le style de Jackie – « la classe », se gargarise Joe. Elle-même se sait différente des femelles (sic) qu'il fréquente, et elle se veut pour lui un challenge, ce qui plaît aux fils Kennedy, entretenus par leur père dans l'esprit de compétition. « Les seconds ne comptent pas », dit Jack. En outre, Jackie fait écho à sa propre curiosité, et, surtout, elle est celle choisie par ce père tout-puissant dont il est la créature politique. JFK, en effet, qui ne se vouait qu'à l'insouciance du plaisir et du célibat face à ses douleurs, porte désormais tous les espoirs de grandeur de son père depuis que son aîné, Joseph, alias Joe Jr, a péri dans l'explosion de son bombardier, en août 1944. « C'est comme à l'armée, se plaindra Jack. Mon père voulait que son fils fasse de la politique. »

Alors, en ces circonstances, faut-il bien parler de grande histoire sentimentale entre Jackie et Jack ? Difficile de dire qu'on ne trouve pas d'amour dans leurs attentes réciproques sans écorner la légende. Impossible, toutefois, de parler de passion balayant tout. Chacun est à la croisée des chemins lorsqu'ils se rencontrent. Jackie a soif de liberté mais aussi de sécurité. Joe Kennedy a faim de réussite pour Jack, et, pour son image, il faut à son fils une épouse à l'allure et à l'origine aristocratiques. De fait, Joe a déjà entrepris de bâtir l'aura de Jack, tout comme il a déjà initié celle des Kennedy. Dès 1937, le patriarche verse ainsi

25 000 dollars au chroniqueur Arthur Kroch pour qu'il évoque régulièrement le clan dans le *New York Times*. Plus tard, il obtient que le *Reader's Digest* publie l'article du *New Yorker* rapportant l'aventure du PT 109. Et puis, pour son élection au Congrès en 1946, il veille à diffuser l'article auprès de chaque électeur. Jacqueline Bouvier n'est ainsi qu'un rouage de plus, mais un rouage essentiel dans ce dispositif.

Si, de Jackie et Jack, un seul est alors amoureux, on pourrait croire que c'est elle, mais, là encore, quant à sa méthode de séduction, les avis sont partagés. Pour les uns, elle n'a aucun plan de bataille pour « ferrer » Jack ; pour les autres, elle agit avec application, se rendant disponible, lui apportant au bureau un peu mieux que ses sandwichs habituels, lui offrant des livres. Outre une escapade dansante au Shoreham Hotel, leur première véritable apparition publique a lieu le 20 janvier 1953, au très officiel bal inaugural de la présidence de Dwight David Eisenhower, alors que Jack, lui-même élu au Sénat en novembre, a enfin l'esprit libre. La presse, dès lors, les observe, mais Jack se contente encore d'une cour « intermittente », faite de dîners et de cinémas, de soirées bridge et Monopoly avec son frère Bobby et son épouse, Ethel. Ses amis le croient incapable de dire « je t'aime », et, finalement, Jackie joue la carte – risquée – de l'éloignement.

Après avoir usé de la bouderie, des absences et du téléphone qu'on laisse sonner, elle se résout, en mai-juin 1953, à couvrir le couronnement d'Élisabeth II. Mais ce n'est en fait qu'une apparence d'éloignement puisque ses papiers, au reste modestes, font la une de son journal, agrémentés de dessins faits là-bas. Bref, Jack court l'attendre à l'aéroport avec une bague en diamant de Van Cleef & Arpels… choisie par son père, et leurs fiançailles sont annoncées le 25 juin 1953 par le *New York Times*.

Selon Betty Spalding, une amie de Jack, « sa méfiance à l'égard du mariage a été vaincue par la nécessité politique de prendre épouse ». Un point de vue qui mérite d'être tempéré par d'autres témoignages. Ainsi celui de sa secrétaire, Evelyn Lincoln, qui rapporte que Jackie était la seule femme à laquelle il téléphonait sans passer par elle. Celui aussi d'un ami, Red Fay, selon lequel « il était amoureux fou de cette fille, mais il ne voulait pas le montrer ». Ou bien encore celui – plus intime – de Jack lui-même qui confessera à son ami Lem Billings qu'un jour, à Arlington, un agent les a surpris tout dépoitraillés à l'arrière de la décapotable cabossée du sénateur... Betty Spalding convient d'ailleurs qu'ils souffraient tous deux des mêmes blocages affectifs. « Ils s'aimaient, dit-elle, en dépit de leurs âmes muselées. »

IV

TRIPLE CROSS :
DEUX AMBITIONS POUR UN DESTIN

1953-1961

Lorsque ces « âmes muselées » se laissent enfin aller à parler d'avenir sur cet aéroport, Jackie n'est pas longue à renoncer à ses activités journalistiques au *Washington Times-Herald*. Déjà la voici qui s'imprègne de son rôle d'épouse de sénateur et qui s'enquiert tant de leur future installation domestique que de l'organisation de leur mariage. On imagine aisément la petite fille gâtée de *Lasata* alors partagée entre un besoin très mûr de sécurité financière et de reconnaissance sociale, et les attentes, naturelles mais éblouissantes, d'une simple midinette. Si longtemps protégée du monde, malgré ses échappées européennes et ses souriantes et superficielles expériences journalistiques, comment pourrait-elle imaginer ce qui attend vraiment l'épouse d'un sénateur Kennedy chahuté par une virilité exigeante – on a même parlé d'un priapisme dû au mélange de médicaments – et par une ambition paternelle sans borne ? Car, de fait, Jack n'est sorti du bois qu'une fois élu sénateur, c'est-à-dire hissé sur le marche-pied de la grande politique. Lorsque Jackie fait sa connaissance, le champion des Kennedy est engagé dans une triple course vers le Sénat, l'investiture démocrate puis la présidence. De la même manière, elle et lui sont désormais engagés ensemble, mais égoïstement, dans une sorte de triple cross où chacun, courant après sa propre ambition, concourt à un destin commun dans lequel la mémoire collective les fondra ensemble, comme deux icônes, dans le bronze de l'éternité.

Par-delà l'ambiguïté des sentiments et des attentes, l'union de leurs familles n'est pas évidente. Pour les Lee et les Auchincloss, si riche soit-il, le clan Kennedy n'est pas socialement assez bien ; pour Joe – qui ne le découvrira qu'après le mariage –, eux-mêmes ne sont pas assez fortunés. D'ailleurs, si elle se passe bien, leur rencontre à l'occasion des fiançailles ne soulève guère d'enthousiasme. Joe, qui veut et ordonnance le mariage, s'étonne même de la présence de tant de « traîne-savates » chez les Auchincloss. À ces différences de classe s'ajoutent des hostilités personnelles. Ainsi, tant le vieux Lee que Black Jack, deux républicains atteints par la Grande Dépression, n'ont de raison d'apprécier ce vieux démocrate de Kennedy, tour à tour spéculateur exploitant la crise d'octobre 1929 et donneur de leçons à la tête de la commission contrôlant les marchés financiers – un passage aux affaires qui leur a coûté cher ! Le père de Jackie, néanmoins, fait bonne figure à son futur gendre lorsqu'elle organise un repas pour qu'ils se rencontrent. Les deux Jack, il est vrai, se ressemblent tant... Le courant passe bien entre eux et ils semblent se comprendre. Méfiante, Janet parviendra toutefois à tenir son ex-mari à l'écart des fiançailles.

En vérité, l'entrée de Jackie dans le clan Kennedy n'a pas été non plus facile, alors que, précisément, elle a vite senti qu'en épousant Jack, il lui faudrait plus ou moins épouser la tribu tout entière. Or, cette tribu, nombreuse, bruyante et sportive, se taquinant et gesticulant sans cesse, vit – trop regroupée – aux antipodes de sa personnalité solitaire et sensible. Son caractère calme et raffiné, sa sophistication même, y sont du reste perçus comme de la hauteur et une authentique morgue sociale par ses belles-sœurs, qui se moquent d'elle. Jackie, d'ailleurs, le leur rend bien en les surnommant les Sœurs jupettes ou bien encore les Sœurs bla-bla et la Basse-cour.

Les Kennedy possèdent une résidence sur Ocean Boulevard, à Palm Beach, mais le véritable fief du clan se trouve à Cape Cod, le « cap » de la Nouvelle-Angleterre, à 100 km au sud de Boston. Joe y a choisi Hyannis Port, station huppée, et y a acheté en 1928 le *Beulah Malcolm Cottage*, une maison de quinze pièces avec vérandas, sur un hectare de terres face au bras de mer du Nantucket. Bientôt le Quartier Kennedy comptera trois maisons voisines, dont une pour Jackie et Jack. Là-bas, Jackie préfère les promenades solitaires sur la plage au football, à la natation ou aux régates, toutes activités grégaires toujours empreintes de compétition. Il lui suffit de regarder ce clan éternellement en discussion et en ébullition pour qu'il l'épuise, alors que, à la différence des autres, c'est plutôt dans les jeux culturels et de société qu'elle se montre brillante.

Avec les parents de Jack, c'est encore autre chose. Rose, mère possessive, veille tout d'abord à mettre Jackie à l'aise, mais elle s'inquiète vite de son esprit d'indépendance. Jackie, pour l'agacer, se plaît alors à l'appeler « Belle-mère » – et en secret « le Dinosaure ». Avec Joe, au contraire, d'emblée tout se passe à merveille ; et c'est bien ce qui compte dans ce clan ! Jackie s'avère très vite la seule capable de lui tenir tête, y compris dans ses propos antisémites, et son franc-parler impressionne ce vieux coureur de Kennedy qui lui manifestera toujours une affection paternelle allant bien au-delà de ses attentes d'une image sociale idéale pour Jack – une réelle affection que lui rend bien Jackie. Ceci, du reste, ne signifie pas pour autant qu'elle soit dupe de ses manœuvres politico-matrimoniales ; ainsi, lors de sa première visite à Hyannis Port, lorsque Joe commandite un reportage par une photographe de *Life*. Mais au fond, n'est-elle pas volontiers complice ? Pour d'aucuns, elle serait loin de demeurer insensible à la fortune des Kennedy. L'écrivain Gore Vidal, demi-frère de Nina, la fille de Hughdie, affirme que « Jackie a épousé Jack pour son argent. » Pis : selon Priscilla McMillan, une amie du fils Kennedy, « aucune fortune n'aurait pu lui suffire ». De son côté, dit-on, Jack lui-même n'ignorerait pas qu'une part de son charme tient à sa fortune.

Et le charme de Jack est immense ! Bien au-delà de ce que soupçonne Jackie. Ainsi, le 15 juillet 1953, lorsqu'un malaise au Sénat l'oblige à prendre du repos, officiellement à Hyannis Port, il file sur la Côte d'Azur – sans Jackie – où il exerce sa séduction sur une Suédoise de vingt et un ans, Gunilla von Post. Pis, à l'époque où ils vont former des projets, JFK entretient une liaison secrète avec une star « aussi gracieuse qu'un cygne » : Audrey Hepburn. Hélas pour la jeune comédienne, pour Joe, son Oscar ne saurait suffire à faire d'elle une épouse convenable aux yeux de l'électorat américain. Ainsi, selon la volonté de Joe, le mariage de Jackie et Jack aura donc lieu à Newport, le samedi 12 septembre 1953.

Plus de trois mille personnes se pressent à ce « mariage de l'année », pour lequel l'église Sainte-Mary accueille un parterre de gouverneurs, de sénateurs, de membres du Congrès et d'évêques. La messe est dite par l'archevêque Richard J. Cushing, de Boston – proche de Joe –, et, à *Hammersmith Farm*, il ne faut pas moins de deux heures aux jeunes mariés pour serrer la main de leurs mille deux cents invités. Jackie est resplendissante dans sa robe de taffetas de soie ivoire, mais, tandis que Hughdie Auchincloss joue pour elle le rôle du père, elle cache les larmes qui montent sous son voile de dentelle ancienne. Là encore,

Janet est parvenue à tenir Black Jack a l'écart, menaçant les uns de rompre avec eux s'ils le toléraient, amenant les autres à lc garder dans sa chambre d'hôtel avec quelque alcool. Une fois de plus, donc, le bonheur de Jackie ne saurait être complet. Blessée, elle partira en voyage de noces à Acapulco, où, tandis que Jack ne manquera pas de flirter au bord de la piscine, elle écrira à son père une lettre touchante, exprimant sa tristesse mais aussi amour et pardon. Il est vrai que, prisonnier de ses faiblesses, le malheureux Black Jack avait déjà été écarté des deux repas de célibataires organisés par Joe puis Hughdie pour Jack et quelques centaines de ses amis, prompts à enterrer sa vie de garçon. Enterrement, d'ailleurs, tout symbolique…

Après un passage par Hyannis Port, le couple loue, en novembre 1953, une maison de Georgetown, au 3321, Dent Place. À cette date, JFK est sénateur depuis tout juste un an et, très vite, par ses absences, par la nécessité d'y organiser des dîners à répétition, Jackie prend la juste mesure de son rôle d'épouse de politicien présidentiable. Non seulement elle ne semble pas dupe des frasques sexuelles d'un séducteur aussi régulièrement éloigné d'elle, mais, au-delà de l'attrait intellectuel de la politique, elle a peu de goût pour sa nécessaire cohorte d'obligations, de civilités et d'apparences. Et ce, même si, d'entrée, cette fille de républicains dans la plus pure tradition du *Old Glory Party* en vient tout naturellement à conclure que, de par sa position dans le clan, la voici maintenant nécessairement démocrate.

Jack, que sa victoire aux sénatoriales de novembre 1952 conforte dans son succès auprès des femmes, ne joue pas aussi bien le jeu au plan matrimonial. La politique l'éloigne de Georgetown, et puis il loue une garçonnière à l'hôtel Mayflower où, dit-on, « il lui arriverait de s'ébattre avec deux secrétaires à la fois ». Jackie elle-même ne sera pas dupe quant à l'usage de leur suite louée à l'année à l'hôtel Carlyle de Washington, où il rencontrerait, entre autres, une certaine Mary [Pinchot] Meyer, nièce de Gifford Pinchot, gouverneur de Pennsylvanie. Bientôt, en outre, il fera une rencontre non moins sulfureuse avec Marilyn Monroe. Pour sa défense, selon Gore Vidal, « [Jackie] ne se préoccupait jamais de sexe ». C'était « trop salissant », souligne Ronald Kessler, biographe de Joe. Cette fuite la rapprocherait ainsi de Rose, que la liaison de son mari avec sa secrétaire, Janet Des Rosiers, arrange bien. À voir…

Blessée sans doute, délaissée assurément, Jackie se morfond de cigarettes en ongles rongés et compense par l'achat de vêtements et l'installation de leur maison. Les Kennedy étant plus riches d'argent que de goût, elle a toute liberté pour rechercher davantage des matériaux, des bibelots et des meubles dans le goût français ; de préférence, d'époque XVIIIe. Jack trouve les factures salées, mais s'en accommode. L'argent n'est pas un problème pour un Kennedy aussi richement doté par un père possédant la douzième fortune du pays. En outre, sa course politique le préoccupe davantage : un triple cross, du Sénat à la présidence, que Joe aura marqué par ses méthodes et ses millions, et que Jackie aura auréolé d'un lustre particulier par son intelligence et la noblesse rassurante qu'elle dégage.

Avec son sourire ravageur et son style vestimentaire décontracté préfigurant le *new look*, John Fitzgerald Kennedy incarne pour l'Amérique sa nouvelle génération, sortie grandie de la guerre et qui devra porter le pays vers des temps meilleurs, malgré les dangers de la guerre froide. Mais au fond, JFK est un caractère plein de paradoxes. « Dr Jekyll, M. Hyde », dit son ami Jim Reed. Il se « frotte » aux femmes, mais a horreur qu'on pose la main sur lui. Il veut séduire les foules, mais refuse qu'on le touche. Il se met en avant, mais n'est que réserve. En bon démocrate, il vise un mieux pour tous, mais – peut-il les ignorer ? – il s'accommode des méthodes électorales qui sont encore celle des vieux Kennedy et de Honey Fitz. Et tout cela transpire dans sa carrière bien avant que Jackie ne vienne y jouer son rôle d'épouse respectable et de complice inspirée et brillante.

La toute première campagne de Jack – celle qui le porte au Congrès, le 18 juin 1946, comme représentant du 11ᵉ district du Massachusetts, fief du clan – est déjà marquée par la « générosité électorale » de son père, qui y consacre bien 300 000 dollars, et par l'art consommé de celui-ci à déstabiliser leurs adversaires. Ainsi, John Russo, son rival, voit-il lui échapper un électorat soudain perturbé par la brusque candidature d'un autre Russo, *deus ex machina* instrumenté, pense-t-on, par Joe.

Lorsque, voulant s'élever d'une marche, JFK vise le Sénat, en 1952, son père ne manquera pas non plus de « faire chanter » ses dollars. Il est vrai que Jack s'attaque à forte partie en voulant déboulonner l'imposant Henry Cabot Lodge Jr, heureusement très pris par son soutien à Eisenhower, qui succédera d'ailleurs à Truman en janvier 1953. Joe consent un très avantageux prêt de 500 000 dollars à John Fox, patron du *Boston Post*, journal républicain qui, miraculeusement, trouve soudain maintes qualités au démocrate JFK – « Jack Kennedy, 100 % Américain », titre-t-il. De même, il paie sans rechigner lorsque sa fille Eunice a l'idée d'organiser des goûters où ces dames viendraient écouter son frère par centaines : idée doublement intéressante pour Jack, toujours en mal de rencontres… Le candidat Kennedy prétendra n'avoir ainsi dépensé que 350 000 dollars pour sa campagne ; néanmoins, on s'accorde à penser que ce pourrait être environ dix fois plus. Mais Joe ne se contente pas de payer. Il est aussi expert en désinformation, suscitant des rumeurs tout en les démentant. Ceci, bien sûr, n'enlève rien au charisme et à l'engagement très physique de Jack, qui se montre même assez impressionnant en allant à la rencontre des dockers. Au bout du compte, contre toute attente, JFK est élu le 6 novembre 1952, avec une courte avance de 71 000 voix, et il est bientôt nommé à la Commission sur les opérations du gouvernement. Là débutent véritablement sa carrière politique et ce grand destin commun avec Jackie.

Là débute aussi pour Jackie une période difficile où, déstabilisée par ses obligations, confrontée aux escapades parfois lointaines de son époux et usée par leurs soucis de santé, elle va connaître des moments de dépression et même l'envie de divorcer.

De fait, les années 1954-1957 vont être pénibles pour la jeune épouse du sénateur, malgré ses efforts pour se reconstruire une fois de plus, en s'adonnant à l'équitation notamment et en suivant des cours d'histoire américaine, mais également en cherchant à accompagner la carrière de son mari. Ainsi, au début, va-t-elle parfois l'écouter au Sénat ; ainsi, aussi, traduit-elle les philosophes français pour nourrir ses discours de citations pertinentes. Malgré cela, la vie se fait toujours plus difficile. Il est vrai que les problèmes de santé s'accumulent et que la malchance les frappe. Le mal de dos de Jack s'accentue et il ne lui suffit plus de dormir sur une planche, de prendre des bains chauds, de porter un corset ou encore de recourir à ces affreuses béquilles que l'on cache à la presse. Une lourde opération, complexe et risquée, s'impose à lui, le 21 octobre 1954, à New York, et la maladie d'Addison vient bien sûr tout compliquer. Les infections à répétition le plongent au seuil du coma et lui valent l'extrême-onction. Jackie se montre alors exemplaire dans l'épreuve, priant pour lui – pour la première fois de sa vie ! – et se tenant presque jour et nuit à son chevet. Lorsque l'hôpital le libère enfin, quatre jours avant Noël, elle est encore là pour soigner cette cicatrice de vingt centimètres qui refuse de se refermer. Au bout du compte, Jack doit subir une seconde opération dès le 15 février 1955. Cette fois-ci, on tente une greffe osseuse et l'on se résout à lui ôter cette fichue plaque d'acier implantée en octobre et que son corps rejette. Malgré sa faiblesse, il récupère peu à peu, et le couple fait front sans se plaindre. Jackie, surtout, semble alors se glisser dans l'aventure politique de son mari en l'encourageant à écrire *Profiles in courage*, un ouvrage consacré à une série de portraits d'hommes politiques ayant fait montre de courage pour faire vivre leurs idées à contre-courant de la pensée commune.

L'ouvrage, publié le 2 janvier 1956, connaîtra aussitôt un immense succès de librairie et se verra décerner en 1957 le très envié Prix Pulitzer ; pourtant, il demeurera entouré de suspicion. Au-delà de l'état de faiblesse de Jack, certains biographes l'estiment en effet un auteur trop médiocre et trop impatient pour en assumer seul la paternité. Selon eux, le sénateur n'aurait pu faire mieux que des relectures, laissant Jackie exploiter ses propres notes, reprenant celles de son ancien professeur Jules Davids et surtout coordonnant le travail de Theodore Sorensen, son proche conseiller, et peut-être aussi d'Arthur Schlesinger et d'Arthur Kroch. Si tel a bien été le rôle de Jackie, sans doute cette aventure littéraire aura-t-elle alors été pour elle son unique satisfaction au cours de cette période – hormis, bien sûr, sa maternité –, mais d'autres ne s'attardent guère sur son action. L'ouvrage, en tout cas, est contesté. Certains soupçonnent Joe de l'avoir fait acheter par cartons entiers afin de le hisser rapidement au rang des best-sellers – comme, disent-ils, le premier livre de son fils... On pense aussi qu'il aurait influé sur le jury du Pulitzer à travers Arthur Kroch, sa créature médiatique. Au bout du compte, enfin, en décembre 1957, le journaliste Andrew Pearson finira par accuser Jack de ne pas être l'auteur du livre, mais, menacée par Joe d'une demande de 50 millions de dollars de dommages et intérêts, la chaîne ABC déjugera son chroniqueur.

Profiles in courage contribuera en tout cas largement à faire connaître John F. Kennedy et à le positionner pour la course à la présidence, car tel est bien l'objectif de Jack : être le premier président catholique irlandais des États-Unis – le premier non WASP. Et c'est précisément dans ce contexte politique très particulier, et où son mari ne sait renoncer à ses frasques, que Jackie va devoir affronter deux grossesses difficiles et la perte de son père.

Malgré ses ambitions, Jack, en effet, ne manque pas une occasion de prendre du bon temps. Ainsi, à peine remis de ses opérations, file-t-il seul en Europe, en août 1955, officiellement pour des contacts en France et à l'OTAN, et puis pour rechercher l'appui « très catholique » du pape Pie XII. En fait, tandis que Jackie recherche pour eux une maison, il ne manque pas de retrouver Gunilla von Post en Suède. Jackie, toutefois, finit par le rejoindre à Antibes pour ce périple européen à poursuivre entre Italie, Pologne et Paris. À Paris, elle court les antiquaires ; à Rome, elle sert d'interprète auprès du ministre français Georges Bidault. À Antibes, surtout, le couple est invité à rendre visite à Sir Winston Churchill à bord du *Christina*, le yacht depuis lequel le richissime armateur grec Aristote Onassis règne en maître sur la Société des bains de mer (SBM) de Monaco, et donc sur la principauté, formidable base d'affaires où l'on ne paie pas d'impôts. Le Vieux Lion, peu en forme, porte à peine attention au fils de Joe Kennedy, mais le milliardaire, lui, remarque Jackie et lui fait visiter son palais flottant.

Les Kennedy regagnent New York le 11 octobre 1955 et, pour quelque 125 000 dollars, achètent ce mois-là une grande et belle maison, avec piscine et écurie, à McLean, en Virginie. *Hickory Hill* paraît alors sans doute un nid de rêve – bien à elle ! – pour Jackie, qui pourra bientôt l'aménager et le décorer dans l'attente de la venue d'un enfant. Mais la poisse s'accroche à leurs basques. En novembre, Jackie se brise la cheville en se laissant entraîner à jouer au football, et bientôt elle déprime et songe au divorce, ce dont son beau-père, dit-on, l'aurait dissuadée en lui offrant un million de dollars discrètement placé dans diverses fondations. Mais les avis, sur ce point, sont partagés. Ainsi, tandis que l'acteur Peter Lawford, marié à Patricia Kennedy le 24 avril 1954, affirmera que c'est faux, sa propre mère, May Sommerville Lawford, jurera le contraire. Il est vrai que, début 1956, Jackie se sait enceinte et retrouve et des raisons d'assumer, et des raisons d'espérer.

Bref, Jackie poursuit l'aventure conjugale avec Jack, mais aussi l'aventure politique avec JFK, auquel le succès de *Profiles in courage* laisse accroire que sa toute fraîche popularité pourrait lui valoir la vice-présidence auprès d'Adlai Stevenson, bientôt investi à la convention démocrate du 16 août pour porter les couleurs du parti à l'élection présidentielle de novembre 1956. C'est trop tôt et trop risqué, s'inquiète son père, qui ne croit pas aux chances du gouverneur de l'Illinois. En outre, Jack se heurte à l'hostilité de la très respectée Eleanor Roosevelt, veuve du président démocrate, qui reproche notamment aux Kennedy leur complaisance face aux débordements si peu démocratiques du sénateur Joseph McCarthy. Toujours est-il que Jack se trompe sur son aura et, le 17 août, voit Estes Kefauver lui ravir le rôle prestigieux de vice-présidentiable.

Ce premier revers touche cruellement Jack dans son ego et l'incite à fuir vers le plaisir, abandonnant derrière lui Jackie, alors enceinte de huit mois et qui, sans doute poussée par les Sœurs jupettes, avait pourtant consenti l'épuisant effort moral et physique de le suivre à la convention. Alors, totale ingratitude vis-à-vis d'une femme qui lui demande de rester, impardonnable inconséquence d'un mari coureur ? Possible. À moins qu'avant cela Jackie ait eu une faiblesse ou ait voulu se venger de Jack. Dans son ouvrage d'investigation *Vengeance*, Peter Evans explique en effet que Jackie aurait alors entretenu une liaison avec l'acteur William Holden, rencontré chez le producteur Charles Feldman, à Beverly Hills. En tout cas, tandis que son épouse se réfugie à *Hammersmith Farm*, Jack gagne à nouveau la Côte d'Azur – avec Ted, cette fois – pour consulter son père mais aussi Churchill qui a toujours table ouverte sur le *Christina* d'Onassis. Cette fois, le Britannique le remarque et lui conseille avec flegme d'afficher son catholicisme en signe de courage, ce que son visiteur ne va du reste pas exactement faire dans l'immédiat en louant un voilier à bord duquel des journalistes assureront avoir vu une pulpeuse starlette française ainsi qu'une certaine Pooh – ou « P », comme elle se nomme elle-même –, une très libre beauté qui était sa maîtresse et le fascinait.

Toujours est-il que, le 23 août 1956, épuisée par la convention démocrate, Jackie est victime d'une hémorragie et doit subir une césarienne. Mais il est trop tard. Sa petite fille, Arabella, est mort-née. Aux antipodes de ce drame intime que Jackie doit affronter sans lui, Jack n'apprend la nouvelle qu'en accostant à Gênes le 26, et il ne la retrouve que le 28, seulement pressé, semble-t-il, par le souci de son image. Les journalistes ne manquent pas de noter ce retard. Bien sûr, la thèse de Peter Evans et donc un possible doute sur sa paternité pourraient expliquer l'attitude de Jack. L'épreuve est d'autant plus cruelle pour Jackie qu'entre temps, le 25, sa belle-sœur Patricia a donné une fille à Peter Lawford. L'accueil du mari volage est donc frais, pour le moins. Le monde se trouve depuis quelques années déjà en pleine guerre froide ; cette fois, leur couple aussi. C'est une chape de glace qui est tombée sur ces « âmes muselées », et *Hickory Hill*, conçue avec amour pour une famille heureuse, s'est soudain vidée de ses espoirs et de son sens. Le couple la revend à Bobby et Ethel, déjà parents de cinq enfants – ils en auront onze –, et se contente à nouveau d'une maison de location, à Georgetown. Jackie voudrait alors être bien certaine de pouvoir encore demain devenir mère, et, pour l'heure, tout lui semble vain.

En attendant, tandis que le couple cohabite tant bien que mal derrière l'image lisse voulue par leur réserve naturelle et renforcée par l'ambition des Kennedy, il s'avère que le vieux Joe avait raison. Le 6 novembre 1956, Eisenhower est réélu, avec pour vice-président Richard Nixon. Ike a depuis longtemps surmonté ses faiblesses oratoires qui jadis faisaient dire à des journalistes amusés : « Le voilà qui traverse à nouveau la 38ᵉ platitude... » Sa vieille « formule chimique », K1 C2 – *Korea, Communism, Corruption* –, le porte encore, et le vieux soldat écrase toujours de sa stature historique la génération qui monte. Aussi JFK et les autres devront-ils encore patienter quatre ans... Car, malheureusement pour Jackie, son Kennedy de mari n'entend pas s'arrêter sur cet échec. Il vise désormais plus haut, au sommet.

Ainsi, dès cette fin 1956, pour Thanksgiving, Jack annonce à sa famille qu'il sera candidat à la présidence en novembre 1960. Dès lors, tous ses efforts vont porter en ce sens, et la vie de Jackie va en subir les contraintes. Lui, déjà si actif, va mettre les bouchées doubles et s'imposer quatre années de séduction et de course contre la montre : quatre pleines années d'une campagne électorale qui, toutefois, tardera à s'avouer « présidentielle ». Et le moins que l'on puisse dire, c'est que, durant tout ce temps, monsieur le sénateur s'épargnera nombre de séances au Sénat… Les sondages, il est vrai, l'y incitent. En mars 1957, ce sont en effet pas moins de 43 % des Américains qui se disent favorables à sa candidature. Elle, Jackie, en ce même mois de mars, se trouve à nouveau enceinte. Leurs relations vont ainsi se normaliser, du moins en apparence – car on ignore tout de leur intimité –, et, peu à peu, elle va même accepter de jouer le jeu et soutenir JFK dans cette très exigeante entreprise qui, la plupart des week-ends, va emporter celui-ci à travers tout le pays pour des meetings et des dîners, avec Ted Sorensen pour conseiller et Bobby pour directeur de campagne.

Pour quelque 100 000 dollars, travaux compris, le couple va ainsi faire de nouveau l'acquisition d'une maison à Georgetown, au 3307, N Street, où il ne s'installera en fait que peu avant Noël. Comme si la vie devait finalement reprendre ses droits en 1957, et avec l'aide d'une professionnelle réputée auprès du « gratin », Mrs Henry Parish II, alias Sister Parish, Jackie va une fois de plus s'y abandonner à son goût pour la décoration et pour les très « classieux » styles Louis XV et, surtout, Louis XVI, son préféré. Hélas, le malheur la guette encore sur ce chemin de l'espoir retrouvé. Le 3 août, sans qu'elle ait pu le revoir vivant, son père, tombé dans le coma, succombe à un cancer du foie aux Lenox Hill Hospital de New York… où le médecin à le culot de suggérer une dissection de sa peau, tant elle est merveilleusement bronzée ! Terrible perte, qui sans doute creuse un peu plus la solitude de Jackie, mais où elle trouve pourtant la force d'organiser avec Miche Bouvier les obsèques de cet être sensible qui se sentait abandonné et l'avait réclamée, ainsi que sa nounou, avant de rendre l'âme. Elle l'avait revu en juillet, alarmée par Yusha, après l'avoir pratiquement laissé sans nouvelles durant un an – il avait même appris sa grossesse par le *New York Times* ! Black Jack le magnifique part alors oublié de tous, à seulement soixante-six ans, et ses relations d'hier ne se pressent guère à la cathédrale Saint-Patrick pour l'accompagner – *sic transit gloria mundi…* –, mais sa fille, elle, se sent coupable. Elle glisse dans le cercueil une chaîne de poignet qu'il lui avait offerte et le fait entourer en abondance de tulipes et de roses blanches et jaunes avant qu'il n'aille reposer à East Hampton, où il régnait jadis par sa séduction. Dernier geste d'amour, elle exige que Jack remette lui-même au rédacteur en chef du *New York Times* la notice nécrologique rédigée par ses soins.

Le temps d'une nouvelle infection pour Jack, à l'automne, mais aussi d'un voyage sans elle au Canada, voici enfin venu pour Jackie le premier vrai grand bonheur attendu depuis désormais bien longtemps. Le 27 novembre 1957, pratiquement un an jour pour jour après l'annonce « présidentielle » de Jack à sa famille, elle subit une seconde césarienne au Lying-In Hospital de New York et met au monde Caroline Bouvier Kennedy, joli bébé de trois bons kilos bientôt baptisé par l'archevêque Cushing en personne. La robe de baptême de Caroline est celle de son arrière-grand-père, le Vieux Lee. Bobby et Lee sont parrain et marraine, et cette naissance, bien sûr, ne peut que ravir Jack, réellement ému, et rapprocher le couple. C'est en outre peu après que les Kennedy vont s'installer dans leur charmante maison en briques rouges de style fédéral, avec une cour garnie de magnolias. Elle a été bâtie en 1812 et a une âme et une histoire. Pour Jackie, en tout cas, c'est enfin la maison idéale, un lieu voué au bonheur, servi par quelques domestiques, mais où elle n'aimera guère voir sa propre mère chercher trop souvent à s'imposer auprès de Caroline, confiée à une nurse anglaise, Miss Shaw.

À Noël 1957, puisant dans les 80 000 dollars de sa part du modeste héritage de son père, Jackie, reconnaissante, offre à Jack une *so british* Jaguar blanche, précisément semblable à celle de Janet mais aussitôt échangée par lui contre une très « électorale » Buick *made in USA* ; image oblige ! Malheureusement, la campagne avançant, le très prestigieux sénateur Kennedy ne manque pas, de son côté, de se montrer de plus en plus sensible au charme des autres femmes. Ainsi, avant ce même Noël 1957, s'est-il autorisé une brève escapade à La Havane avec son complice George Smathers pour compagnon des chaudes nuits cubaines. On lui en attribuera d'ailleurs d'autres là-bas, où l'on soupçonne une liaison avec Flo Pritchett Smith, l'épouse de l'ambassadeur... lui aussi *made in USA*. Toutes les ambassades, il est vrai, ne réussissent pas aussi bien à Jack. Ainsi, en septembre 1958, à la représentation italienne à Washington, Sophia Loren lui opposera-t-elle une résistance semble-t-il sans concession. Plus simplement, le sémillant JFK, brillamment réélu sénateur du Massachusetts le 4 novembre 1958 avec près des trois quarts des voix, se contente ordinairement de puiser ses conquêtes dans le vivier des Kennedy Girls rabattues sans peine pour soutenir ses déplacements dans le pays. Ce qui n'empêche pas, toutefois, de lui connaître quelques liaisons plus consistantes ; ainsi avec Lady Jean Campbell, petite-fille d'un magnat de la presse britannique, mais aussi avec une homonyme, Judith Campbell [Exner], une jeune actrice brune aux yeux bleus, déjà sur le déclin mais très liée à Sam Giancana, dit Mooney, parrain de la Mafia de Chicago, et que leur ami commun, Frank Sinatra lui-même, lui aurait « refilée » ; ainsi encore, et surtout, avec

Marilyn Monroe, croisée chez Peter Lawford dès 1954, alors qu'elle se séparait du champion de base-ball Joe DiMaggio, son premier mari. Face à cela – à ce dont, décidément, elle ne peut être totalement dupe ! –, Jackie se montrera finalement d'une extrême compréhension, se résignant à admettre que « les hommes Kennedy sont comme ça ».

Mais, heureusement, les activités de l'ambitieux JFK ne se limitent pas à la seule gestion des débordements de sa libido… Dans la dernière ligne droite, en la seule année 1960, Jack va parcourir plus de cent mille kilomètres en avion pour prononcer plus de cinq cents discours. Il faut dire que pour lui faciliter la vie, son père n'a pas hésité à acheter à l'été 1959 un confortable bimoteur Convair, payé 385 000 dollars et qu'il lui loue royalement 1,75 dollar le mille. L'avion, baptisé *Caroline*, a été acquis par l'entremise de Janet Des Rosiers, à qui Joe a accepté de rendre sa liberté et dont il a assuré la reconversion dans l'aéronautique. Désormais, son ancienne maîtresse en sera et l'hôtesse, et la secrétaire – une maîtresse de maison, en somme, pour Jack. En fait, Joe n'a lésiné sur rien pour aider son fils et aurait investi sans compter pour cette campagne : 2 millions de dollars, selon les uns ; 4 à 5, selon les autres – somme à multiplier environ par cinq en valeur actuelle. On pourra d'ailleurs s'interroger sur l'usage fait de cette mystérieuse marge et sur les méthodes employées pour séduire l'électorat…

Au-delà de ces combines de politiciens, Jackie, en tout cas, va accepter d'apporter sa contribution à l'entreprise en accompagnant son mari çà et là – et alors l'audience augmente considérablement –, mais aussi en offrant aux caméras l'image lisse d'un couple sans fêlure. Docilement, elle se prête au jeu des interviews et des reportages photographiques. « C'était Mme Récamier incroyablement

rendue à la vie du XXᵉ siècle et vêtue d'un tailleur Chanel »,
dira Donald Spoto, dans sa biographie. Nous y voici…
Mieux encore, Jackie prononce de brèves interventions
dans leur langue pour les immigrés italiens, français et
latinos. Elle donne des thés dans leur maison de N Street ;
Janet aussi, d'ailleurs, à *Merrywood*, et même des soirées de
collecte de fonds… tandis que Hughdie le républicain
accorde généreusement 500 dollars de soutien à son
gendre démocrate ! Enfin, ce « beau couple » apporte un
ton nouveau à cette campagne. Tous deux savent charmer
sans démonstration aucune et, tandis que leur mystère
entretient la curiosité des médias, leur apparente simplicité
leur vaut cet attachement populaire qui fait pardonner leur
distance pourtant bien réelle aux stars et aux altesses. Bref,
drapée dans ce nouveau rôle au service d'un mariage qu'elle
veut plus que jamais réussir – telle est son ambition –,
Jackie concilie comme elle peut sa répulsion pour toute
inquisition médiatique et sa propre curiosité pour la politique – un domaine qui l'interpelle à travers les valeurs
qu'il véhicule, dès lors qu'on le libère de tout son cirque
d'appareil. Peu à peu, elle trouve sa place dans le dispositif
Kennedy, y laissant deviner son humanité et montrant
bien qu'elle est tout le contraire d'une élégante idiote.
Jackie, en effet, tandis qu'elle veille sur les tenues « électorales » de son mari, se fait alors remarquer pour sa garde-
robe et se retrouve classée au nombre des dix femmes les
plus élégantes du monde. Enfin, la petite fille de *Lasata* est
désormais une femme qui voit juste sur les hommes.
Précieuse observatrice pour Jack, elle sait distinguer les faiseurs des fidèles et détecter les soutiens possibles.

Jack, pendant ce temps, a placé ses pions et peut sortir
du bois. À Noël 1959 il prépare son discours à Hyannis
Port, et le 2 janvier 1960, depuis le Sénat, il déclare sa candidature à la présidence. Déjà son équipe s'installe à

Washington, au-dessus d'un garage Esso de Constitution Avenue. JFK tenant à demeurer très accessible pour la presse, un journaliste, Pierre Salinger, est recruté pour gérer ses relations avec elle. Et de fait, le rôle des médias s'avérera tout à fait stratégique dans cette campagne où un sténotypiste leur permettra d'accéder sans délai au texte intégral de ses discours. Vingt journalistes vont ainsi le suivre au début de l'aventure ; vingt fois plus à la fin. Trois avions seront nécessaires. Car l'aventure est avant tout une longue course à travers le pays. Avant de se confronter aux républicains, il faut aller d'État en État pour séduire les délégués démocrates et l'emporter à leur convention, en juillet.

Sa première étape conduit donc JFK dans le New-Hampshire, où il l'emporte facilement sur un certain Paul Fisher… fabricant de stylos. Plus tard, dans le Wisconsin, les choses se compliquent avec le sénateur Hubert H. Humphrey, une « pointure » du Minnesota, spécialiste des questions agricoles et qui dénonce son jeune âge. Néanmoins, Jack obtient sur lui une victoire à l'arraché – avec 106 000 voix de mieux – et, dès lors, gagne une à une les primaires. Fatigué, il se trouvera aphone dans l'Oregon et l'Indiana, mais il tiendra bon et devra faire mieux encore en Virginie-Occidentale, étape d'autant plus décisive qu'elle est protestante à 95 % et que Humphrey, humilié, s'y engage à nouveau contre lui.

Jackie, elle, s'efforce de le soutenir du mieux qu'elle peut depuis 1959, et tout particulièrement en ce début 1960. Elle s'engage dans le lancement d'une campagne de conférences féminines en sa faveur, *Calling for Kennedy*. Mais plus encore, c'est sa propre personne qui séduit et sert son mari, y compris lorsqu'elle explique avec une fausse candeur qu'elle fait campagne auprès de lui… pour le voir. Journalistes et électeurs la sentent différente dans son allure et son maintien, mais aussi par sa présence et sa manière d'être, parfois retranchée derrière ce sourire de Mona Lisa savamment construit. Assurément, ils découvrent quelque chose de frais qui balaie l'image convenue des épouses de candidat. Mais cette fois, en Virginie-Occidentale, il en faut plus pour l'emporter. Le 21 avril, Jack doit en appeler à la tolérance envers les catholiques, expliquant qu'il est avant tout Américain. L'affaire n'est pas gagnée ! Étrangement, raconte David Heymann, autre biographe de Jackie, le soir du vote, le couple va tuer le temps avec ses amis Ben et Toni Bradlee dans un cinéma porno. Et finalement, là aussi, JFK triomphe avec 60 % des voix, grâce notamment aux méthodes de son père, dont le clan s'est appliqué à s'attacher les appareils politiques locaux contrôlant les votes. Dans certains comtés, il est alors de tradition d'acheter des voix à travers les shérifs et les politiciens, mais, cette fois-ci, des observateurs estimeront que les Kennedy ont élevé la coutume au rang de véritable machine de corruption. Ces hommes clés, estiment-ils, auraient en moyenne perçu chacun 5 000 dollars en espèces. Le prix d'une victoire.

Une fois cette victoire connue, Jackie s'esquive discrètement de la fête. Sans doute mesure-t-elle alors pleinement la charge supplémentaire qui menace au bout de la route. En attendant, elle ne sera pas là pour soutenir Jack au Sport Arena de Los Angeles, dans sa conquête du ticket démocrate. Au printemps, elle a appris qu'elle se trouvait à nouveau enceinte et, en juin, elle se retirera prudemment de tout ce cirque électoral. Cette grande confrontation finale, pourtant, n'est pas encore une simple formalité pour Jack, même s'il a remporté dix primaires, s'il contrôle de nombreux délégués et si la convention est ouverte par son ami Sinatra et son *Rat Pack* – en la circonstance rebaptisé *Jack Pack* par certains.

Peu de jours avant la convention débutant le 11 juillet 1960, Lyndon Baines Johnson, sénateur du Texas et leader de la majorité démocrate au Sénat, s'est porté candidat contre ce favori, et l'entourage des deux hommes échange aussitôt quelques coups bas. Bien sûr, on évoque l'âge de JFK. Johnson l'appelle « The Boy » et, de fait, Truman lui-même le trouve trop jeune. Alors, côté Kennedy, on riposte en colportant que LBJ se serait mal remis de son accident cardiaque de 1955 ; et, côté Johnson, c'est le sénateur John B. Connaly qui révèle à quelques journalistes incrédules, cette « mystérieuse maladie » dont souffre Jack. Étrangement, le cabinet du docteur Janet Travell, son médecin, a été cambriolé peu avant... Finalement, le 13 juillet, Johnson est défait avec moitié moins de voix, mais, chassé par la porte, le voici qui rentre par la fenêtre ! Alors qu'on s'attend à voir JFK choisir pour colistier Stuart Semyngton, le populaire sénateur du Missouri, c'est LBJ, le « réactionnaire » du Sud – et l'ennemi de Bobby ! –, qu'il désigne, à la surprise générale, le 14 juillet. Au-delà de la rage des libéraux, on s'interrogera longtemps sur ce choix. Le clan Kennedy tentera de le justifier en expliquant que Jack voulait préserver l'unité du parti en faisant cette offre à Johnson, mais qu'il avait été surpris de le voir accepter. En fait, selon l'avocat Hyman Raskin, le Texan se serait imposé par le chantage. Il est vrai qu'il y avait tant de choses à révéler sur le côté sombre de l'aventure Kennedy ! Et, précisément, on soupçonne J. Edgar Hoover, le tout-puissant patron du FBI depuis 1924, « le plus grand salaud d'Amérique », d'avoir fourni le clan Johnson en révélations scandaleuses sur Joe et, plus encore, sur Jack et ses frasques sexuelles.

De fait, le candidat Kennedy ne prend pas alors pleinement la mesure des dangers auxquels il s'expose, et ce au milieu même du clan Kennedy, lequel a suivi tout entier à

Los Angeles ; y compris Joe, qui s'y cache mais agit en sous-main. Seule Jackie est restée à Hyannis Port, mais, sans le savoir, elle fait la part belle à Marilyn Monroe, engagée dans un nouveau mariage malheureux, avec Arthur Miller cette fois. Enfin ! sans le savoir... Sa sœur Lee, remariée en mars 1959 avec le « prince » Stanislas Radziwill, richissime homme d'affaires polonais de vingt ans son aîné, est du voyage et sans doute bien placée pour observer la convention depuis sa suite de ce même Beverly Hilton où, le 11 juillet, Jack tente d'entraîner Judith Campbell dans une partie à trois avec une autre fille. Le 12, en tout cas, c'est bel et bien en compagnie de Marilyn qu'il dîne au Puccini's, le restaurant appartenant à Sinatra – soirée dont, selon Peter Lawford, l'actrice dira que « la prestation de John avait été démocratique et pénétrante »... Mais il y a eu pire danger encore pour lui. Il a en effet échappé de peu à la campagne de dénonciation d'une certaine Florence M. Kater qui, dès 1958, étaye son dossier en espionnant sa locataire, Pamela Turnure, collaboratrice et maîtresse du sénateur. Elle arrose de lettres et de photos la presse et les politiciens, mais on ne la suit pas. Seul un journaliste du *Washington Star*, Bob Clark, souhaite écouter les enregistrements pirates réalisés chez Pamela, mais son rédacteur en chef le lui interdit formellement. Mrs Kater aura beau agiter une pancarte à la convention, rien n'y fera et JFK échappera à un scandale qui eût cisaillé ses chances face au candidat républicain.

Le 28 juillet, les républicains désignent Richard Nixon pour porter leurs couleurs, et son colistier sera une vieille connaissance de Jack : Henry Cabot Lodge. Jadis, Jackie a interviewé Nixon et, pour l'heure, Jack et lui s'apprécient. Mais l'hostilité viendra vite ; en octobre, on se traitera de « salopard » et de « menteur ». Quant à elle, Jackie doit s'engager à nouveau aux côtés de son mari, publiant une demi-douzaine d'articles sous l'angle de vue « une personne en campagne », mais aussi intervenant auprès de lui devant les caméras de l'émission *Person to person*. En plusieurs occasions, toutefois, elle refuse de rencontrer des journalistes. En fait, dès l'été, malgré ses craintes d'une fausse couche, elle doit prendre sur elle pour faire face à ses obligations – recevant notamment le couple Johnson à Hyannis Port – et à la curiosité de la presse pour sa vie privée et, pis encore, pour la petite Caroline, leur chère Buttons. Ainsi, Norman Mailer, venu l'interviewer pour *Esquire*, la jugera distante. Le chroniqueur Joe Alsop, lui, la trouvera agitée et écœurée.

Jack, quant à lui, devra à nouveau monter en ligne dès septembre sur la question de l'intolérance religieuse, mais il y a plus délicat encore : la discrimination raciale. Le révérend Martin Luther King a été arrêté lors d'une manifestation pacifique, le 19 octobre, le jour même où Jackie accompagne son mari à une immense parade populaire à New York. Ce jour-là, elle et lui descendent le Canyon des héros, dressés à l'arrière d'une décapotable, entre deux murailles de buildings géants. Jack hésite à soutenir le pasteur noir, de crainte d'être lâché par le Sud. Finalement, le 26 octobre, il assure l'épouse du prisonnier de son soutien, décision où certains croient voir l'influence de Jackie, « source de chaleur morale ». Bobby, en tout cas, obtiendra sa libération sous caution. Il en faudra plus, cela dit, pour remporter la victoire. Et, indéniablement, Nixon a sur JFK l'avantage de l'expérience acquise dans l'aura du grand Ike. Heureusement pour Jack, les chaînes de télévision vont proposer quatre débats aux deux adversaires et les entraîner sur le terrain de l'image. Kennedy, en challenger n'ayant rien à perdre, s'empresse d'accepter ; Nixon ne peut refuser. Le premier est beau et bronzé, rayonnant d'aisance ; le second est fatigué, amaigri et ne prend pas la peine de se maquiller. Leurs débats ont lieu du 26 septembre au 21 octobre, et Jack prend trois fois le dessus. L'impression produite en retransmission radio demeure mitigée, mais, à l'écran, l'image de Kennedy conquiert les Américains. Dès lors, chacune de ses apparitions publiques provoque une véritable hystérie, notamment chez les femmes. « C'était orgasmique », dira Jacques Lowe, son photographe personnel. Au bout du compte, c'est moins un homme de parti qu'un « président de charme » qui est élu le 8 novembre 1960, mais la victoire de JFK est extrêmement étroite. Près de 69 millions d'Américains se sont rendus aux urnes et moins de 112 000 voix le séparent du perdant – à peine mieux qu'aux primaires contre Humphrey dans le seul Wisconsin. Une misère ! Et donc un résultat discutable…

Avec les quatre cinquièmes des catholiques, les trois quarts des juifs et les deux tiers des Noirs, les minorités ont largement voté en faveur de JFK, par ailleurs bien épaulé dans le Sud par son colistier texan ; néanmoins, au regard d'un écart aussi faible, on ne peut fermer les yeux sur le rôle joué par divers procédés réputés marginaux. Tout d'abord, bien au-delà des méthodes électorales utilisées par Joe en Virginie-Occidentale, certains soupçonnent le clan Kennedy d'avoir franchi les limites en recourant à ses relations avec la pègre pour arranger certains votes. Ensuite, Jack a fait bien plus que de soigner son apparence pour ses débats décisifs à la télévision. Alors qu'il était stressé et physiquement affaibli, son ami Chuck Spalding lui a présenté le docteur Max Jacobson, dont le cabinet new-yorkais recevait alors le Tout-Hollywood. Sa spécialité : des injections d'amphétamines procurant à ses patients un formidable sentiment de bien-être et de puissance. « […] Évidemment, dira Spalding, nous avons eu recours à ces piqûres. Jack, Jackie, Bobby, tout le monde. » Assurément, ce bon Docteur Feelgood a largement apporté sa part de « bien-être » à cet ambitieux candidat qui, cela dit, ne dédaignait pas de recourir parallèlement à des méthodes de relaxation plus « traditionnelles ». Ainsi, le 26 septembre, une heure avant le premier débat, honorait-il de sa débordante virilité une strip-teaseuse, Blaze Starr, dans un placard de sa suite du Palmer House Hotel de Chicago ; aussi devait-il exiger par la suite une call-girl à sa disposition pour chacun de ses débats…

Certes, à ce niveau « stratosphérique » de l'ambition, le sexe se trouve souvent intimement mêlé au cercle privilégié mais cruel du pouvoir et de l'argent ; néanmoins, on imagine mal que Jackie ait pu connaître, à ce moment, la mesure de ces débordements. C'est en tout cas avec elle que, ce 8 novembre 1960, JFK compte les heures tandis que les résultats balancent. Peu après 22 heures, en effet, on donne Kennedy gagnant ; une heure plus tard, Nixon l'a rejoint… et Jackie se couche. Jack la suivra vers 3 heures et ce n'est qu'à 7 heures qu'il apprendra qu'il a été élu trente-cinquième président des États-Unis. À ce moment-là, les agents du *Secret Service* ont déjà investi le Quartier Kennedy à Hyannis Port et l'existence de Jackie va s'en trouver bouleversée. Ce long et douloureux triple cross touche à sa fin, et une autre vie s'annonce à elle, où c'est l'ambition de Jack qui triomphe sur la sienne et qui les entraîne dans un destin commun dépassant désormais largement leurs personnes.

V

LES MILLE JOURS DE CAMELOT

1961-1963

L'investiture du président John F. Kennedy est fixée au 20 janvier 1961. Jack a donc deux mois et demi devant lui pour former son équipe gouvernementale et se préparer à ses fonctions. Jackie dispose d'autant de temps pour se faire à l'idée de ses futures obligations de *First Lady* ; pourtant, pour elle, l'expérience va être encore plus difficile. De fait, sa grossesse est très avancée et elle va se retrouver au beau milieu de ces grandes manœuvres politiques, se partageant durant des semaines entre sa maison de N Street et la propriété de Joe Kennedy à Palm Beach. À trente et un ans, qu'elle le veuille ou non, elle ne s'appartient plus totalement. Elle le redoute, mais ne s'imagine pas pleinement à quel point.

Sitôt passé Thanksgiving, les choses s'accélèrent. Ce 24 novembre 1960, Jack vient de repartir depuis deux heures pour la Floride, lorsque Jackie ressent des douleurs et a une hémorragie. L'accouchement est prévu pour dans trois semaines, mais il faut la transporter à l'University Hospital de Georgetown. En apprenant la nouvelle à bord de *Caroline*, Jack est d'autant plus « accablé de remords » qu'ils se sont disputés. Aussitôt débarqué à West Palm Beach, il rebrousse chemin dans le DC-6 de la presse, plus rapide, et ce n'est que peu après une heure du matin, ce dimanche 25 novembre, qu'il apprend avec soulagement la naissance de son fils John. Le bébé pèse 2,8 kg, mais devra passer six jours en couveuse. Jackie va bien, mais elle a subi une troisième césarienne, et il lui faudra des mois avant de se rétablir pleinement. Surtout, elle est alors victime de deux incidents.

Tout d'abord, alors qu'on la transporte vers la nurserie pour voir John Jr, un photographe jaillit d'un placard et la mitraille de flashes avant d'être maîtrisé par les agents spéciaux. Et puis, plus grave – et on le lui taira ! –, le dimanche suivant, la police interpelle sous la fenêtre de sa chambre un jeune homme armé de cinq bâtons de dynamite. Une autre menace, visant Jack cette fois, ne pourra en revanche lui être cachée. Un dimanche encore, le 11 décembre, à Palm Beach, un retraité des postes, Richard P. Pavlick, projette de lancer sa voiture bourrée d'explosifs contre celle du futur président. Dieu merci, la présence de ses proches l'émeut et il ne veut pas « faire du mal à Mrs Kennedy ni aux enfants ». Désormais, les questions de sécurité constitueront une crainte constante pour Jackie. « Nous ne sommes que des cibles sur un stand de tir », s'inquiétera-t-elle. La presse, en outre, s'emparera de cette naissance comme d'un événement proprement « royal » et, dès lors, ne lâchera plus le moindre événement de la vie du couple présidentiel. Et ce brusque déchaînement de curiosité populaire a aussi de quoi inquiéter Jackie ! Il va lui falloir, elle le sait, beaucoup d'imagination et de volonté pour protéger ses enfants et son intimité.

Jack aura le même souci de protéger sa vie ; pour d'autres raisons… Il redoute que ses fonctions ne mettent fin à sa « période *poon* » – nom irrespectueux du sexe féminin. D'ailleurs, à Palm Beach, le futur président ne se contente pas de préparer son investiture auprès de son vieux père. Alors qu'il a déjà pour maîtresses Marilyn Monroe et Flo Pritchett Smith, on lui prête une liaison avec l'actrice Angie Dickinson, en compagnie de laquelle il aurait notamment passé deux ou trois jours enfermé dans une villa de Palm Springs. Et bien sûr, pour ses escapades, JFK ne demande pas leur avis aux agents spéciaux. Il saute dans sa décapotable et tente de les semer !

En attendant, Jackie, elle, n'échappe pas à ses obligations. Le 8 décembre, alors que l'on baptise le petit John dans la chapelle de l'hôpital, elle doit tolérer la présence de la presse dans le hall. Le lendemain, à peine rentrée dans sa maison de N Street, où les cadeaux de naissance ne cessent d'affluer, elle doit aussitôt repartir pour la Maison-Blanche, que la très stricte Mamie Eisenhower tient à lui faire visiter. La future Première dame est épuisée, et puis elle trouve que l'endroit paraît vieux et meublé en soldes par un grossiste de mauvais goût. L'immense Bureau ovale la glace autant qu'une prison soviétique. « On dirait la Loubianka ! » s'exclamera-t-elle. Mais dès lors, tandis que les manœuvres politiques se poursuivent, cela tout au moins occupera son esprit. Armée d'une documentation abondante sur les cent trente-deux pièces et les six hectares du lieu, elle songera activement à revoir la décoration de la Maison-Blanche et à y inaugurer un nouveau style de réception. D'ailleurs, Oleg Cassini, son couturier personnel, ne lui dit-il pas qu'elle a là l'occasion de faire un Versailles à l'américaine ? Le sort de la maison de N Street est en tout cas réglé. Elle sera vite revendue pour 110 000 dollars, avec une plus-value de 30 000.

JFK s'active lui aussi en direction de la Maison-Blanche. Le 6 décembre, il y est reçu par Eisenhower, qui lui présente les dossiers brûlants : le déficit de la balance des paiements, la pression soviétique sur Berlin, la guérilla communiste au Laos, l'entraînement de forces anticastristes par la CIA. Nikita Khrouchtchev, le « paysan » russe, est au pouvoir depuis 1953 et la guerre froide ne tiédit pas !

Une nouvelle rencontre avec Ike aura lieu le 19 décembre 1961, veille de l'investiture, et, pour épater « le petit garçon en bleu », l'ancien président fera atterrir un hélicoptère sur la pelouse en pressant un bouton. Mais le couple Kennedy est alors lui-même tout à fait capable d'impressionner le monde. Le discours de Jack est prêt, la garde-robe de Jackie aussi…

Sa politique, cette volonté de remettre le pays en mouvement, John F. Kennedy l'a brillamment exposée lors de la convention démocrate. Elle a un nom : la Nouvelle Frontière. Voyant arriver partout au pouvoir des hommes jeunes « qui ne sont pas aveuglés par les vieilles craintes, haines ou rivalités », il croit que la frontière des années soixante est un tournant de l'histoire requérant des changements, des inventions, de l'imagination, des décisions. Et pour ce faire, comme il l'avait promis, JFK a choisi son équipe avant la fin de l'année 1960. Ses fidèles, bien sûr, l'accompagneront à la Maison-Blanche : Theodore Sorensen, Kenneth O'Donnel, Pierre Salinger… Quant à ses principaux secrétaires d'État, il les a sélectionnés sans exclusive. Robert McNamara, à la Défense, et Douglas Dillon, au Trésor, sont des républicains capables. Dean Rusk, aux Affaires étrangères, vient du Sud. Le ministre de la Justice, surtout, est son propre frère ! Bobby est lui aussi expérimenté – il a participé à des commissions d'enquête du Sénat –, mais ce choix lui vaut critiques et inimitiés. Pour Ike, Bobby est « une petite merde »… et on accusera son aîné de népotisme. En vérité, c'est leur père qui l'a imposé à Jack comme Attorney général, et ceci à sa manière toute personnelle, si l'on se fie aux propos rapportés par George Smathers : « Laisse-moi te dire que ton frère s'est crevé le cul pour toi. […] Il mérite d'être ministre de la Justice, nom de Dieu ! » Ah, le bon *pater familias* que voilà, et quel homme prudent !

Mais cette fois-ci, ce 20 janvier 1961, Joe n'est qu'un invité parmi d'autres. Les seuls héros du jour sont Jack et Jackie. En fait, pour eux, les festivités ont débuté la veille, à une grande soirée de gala organisée à la National Guard Armory par Frank Sinatra – que Jackie déteste – et Peter Lawford. Jackie est épuisée, mais elle doit faire bonne figure dans sa robe d'organza blanc. Quelque dix mille invités ont payé chacun 1 000 dollars, histoire de combler les 2 millions de dollars de déficit de la campagne démocrate. Le 20 janvier, bien sûr, les choses sont plus sérieuses, et encore plus difficiles ! Il a neigé en abondance durant la nuit et, au matin, il faut attaquer certains blocs de glace au lance-flamme. Jackie va avoir très froid malgré son manteau en laine fauve à col de zibeline et manchon assorti. Sa toque beige fixant sa coiffure bouffante demeurera le premier signe d'un style qui va marquer son temps. Jack, lui, arbore une très protocolaire veste à queue-de-pie avec un haut-de-forme. Lui, l'homme à la santé fragile, va faire front sans faiblir, tout le jour… et au-delà !

Malgré le gel, la foule est considérable face à la tribune dressée devant le Capitole. Jackie y suit toute la cérémonie d'investiture entre Mamie Eisenhower et Claudia Lady Bird Johnson, ainsi offerte à la curiosité de tous. D'abord, l'inévitable cardinal Cushing lit une prière, puis Marian Anderson chante l'hymne national et Robert Frost récite un poème. Enfin, à 12 heures 51, Earl Warren, président de la Cour suprême, fait prêter serment à JFK sur la Bible de son arrière-grand-père Thomas Fitzgerald. Alors, à quarante-trois ans, le trente-cinquième président des États-Unis peut donner lecture de son discours inaugural – un propos de seize minutes seulement –, à l'adresse de l'Amérique et du monde, qui martèle le goût de l'action de la Nouvelle Frontière et dit son engagement pour la liberté et contre la pauvreté. À ses compatriotes, il dit sans ambage : « [...] Ne demandez pas ce que votre pays peut faire pour vous, mais ce que vous pouvez faire pour votre pays. » Et aux nations « qui voudraient se muer en adversaires », il assure d'une voix ferme que les États-Unis ne les tenteront pas par leur faiblesse. Les téléspectateurs sont sous le charme de sa présence et de sa rhétorique. Jack n'embrassera pas son épouse sur la tribune – jadis, Ike l'avait fait –, mais Jackie est fière de lui et lui caresse la joue. Cette froide journée de plein air va alors se poursuivre par une interminable parade militaire rythmée par une quarantaine de fanfares – trente-deux mille personnes ! – et conclue avec une reproduction grandeur nature de la fameuse vedette PT 109. Mais Jackie, transie de fatigue et de froid, se retire dès 15 heures 30.

À la Maison-Blanche, Jackie n'a pas non plus la force de participer à la réunion de famille précédant la demi-douzaine de bals clôturant la journée du nouveau couple présidentiel. Sa mère ne manque d'ailleurs pas de lui en faire le reproche et même de critiquer sa coiffure. Il n'est pas sûr, cela dit, que sa seule présence eût suffi à réaliser une véritable fusion entre ses deux familles. Au déjeuner offert par Joe, tandis que Jack et elle se trouvaient pris par le repas officiel, le clan Kennedy-Fitzgerald ne s'était guère mêlé à celui des Lee-Bouvier-Auchincloss.

Autre ambiance du côté de JFK qui, au passage devant la tribune de son père – respectueusement tête nue –, a lui-même levé son haut-de-forme en hommage. Les deux hommes sont si semblables… Et puis, Jack profite de l'indisposition de Jackie pour filer prendre une collation chez ses amis George et Jane Wheeler, où se trouvent Kim Novak et… Angie Dickinson. Merveilleux hasard ! Mais la journée n'est pas finie : voici venue l'heure des bals. Jackie, cette fois, l'accompagne, et tous la suivent des yeux dans son extraordinaire robe de mousseline blanche brodée d'argent et de strass. À minuit, toutefois, après les deux premiers bals, elle doit à nouveau renoncer. Le président s'enfonce alors seul dans la nuit, courant encore deux autres bals puis « dégageant » discrètement chez son ami Joe Alsops, où son complice Peter Lawford a invité des starlettes. L'acteur avouera plus tard : « Elles organisèrent un comité d'accueil digne du bordel de Mme Claude à Paris, et Jack en choisit deux d'entre elles. Ce *ménage à trois* fut la conclusion triomphante de sa première journée d'entrée en fonctions. » Après son élection, déjà, Joe avait donné pour Sinatra une soirée où les femmes « avaient l'air de putains ». Question de sang… Telle fut donc la prise de pouvoir très particulière de JFK dans son royaume de Camelot.

« Camelot » : le mot est de Jackie. Elle le livrera à la presse dans moins de trois ans, pour donner aux 1 036 jours de la présidence de son mari une coloration propre à séduire l'histoire et à protéger sa mémoire des salissures des révélations scandaleuses. Elle recherchera une mythologie à laquelle ancrer son brillant parcours de météore, et pour cela elle accusera son goût pour les chevaliers de la Table ronde et soulignera qu'il fredonnait souvent les paroles de *Camelot*, la comédie musicale écrite par son ami Alan Jan Lerner. Ce faisant, Jackie aura surtout flatté son propre goût pour les châteaux et pour la légende arthurienne, et bien sûr on lui en fera le reproche, y compris au sein de la tribu Kennedy. De fait, Jack et elle n'ont rien de commun avec le roi Arthur et la reine Guenièvre, et puis, surtout, l'approche de JFK de l'action politique est assurément moins sentimentale que froidement réaliste. Et cela, on l'observe dès son entrée en fonctions.

Au-delà de l'absence d'exclusive dans son gouvernement, JFK a surtout créé la surprise avec le maintien en

poste de deux des hommes les plus puissants d'Amérique :
Allen Dulles, patron de la CIA, et plus encore le très
redoutable J. Edgar Hoover. À soixante-dix ans, cet
homme incarnant le FBI depuis trente-six ans sait tout sur
tout le monde, et Joe lui-même a prudemment exprimé
son admiration pour lui à plusieurs reprises. De fait,
Hoover s'intéresse aux Kennedy depuis fort longtemps, y
compris à Jack. Non seulement le père s'est trouvé en indélicatesse avec Roosevelt durant la guerre, mais le fils a alors
eu une liaison torride avec une certaine Inga Marie Arvad,
journaliste danoise, ex-Miss Europe, qui a fréquenté les
milieux dirigeants nazis et interviewé Hitler. Le FBI soup-
çonnait Inga d'espionnage et, durant des mois, il a truffé
son appartement de micros. Il ne trouvera d'ailleurs
aucune preuve en dehors de ses ébats avec Jack et du fait
que, certaines nuits, elle reçoit aussi un financier interna-
tional. Néanmoins, l'exhumation de cette affaire pourrait
nuire à JFK. Déjà, à l'époque, Joe l'avait éloigné de
Washington pour éviter toute pression de Roosevelt, mais
en 1961 le danger est plus grand pour les Kennedy. À force
d'écoutes téléphoniques, Hoover n'ignore rien des élections truquées avec la complicité de la pègre. La faiblesse
de la victoire de Jack est notamment suspecte dans
l'Illinois (9 300 voix de mieux), où la Mafia est influente.
Judith Campbell confirmera d'ailleurs dans son livre *My
Story* l'entente entre Joe et Sam Giancana, ancien « tueur,
tortionnaire, éventreur, égorgeur » d'Al Capone. Frank
Sinatra, *The Voice*, dont la violence égale parfois le gla-
mour, leur sert d'intermédiaire. Ami de Lucky Luciano,
connaissant Frank Costello, il doit beaucoup de son succès
à la Mafia. Les républicains, en tout cas, porteront plainte
pour fraude dans onze États, et tout particulièrement à
Chicago, où ils accusent le maire Richard Daley d'avoir
contrôlé les urnes. Alors, bien sûr, un rapport sur l'Illinois

sera adressé au ministère de la Justice, où l'on imagine que Bobby est déjà alerté du danger – ce même Bobby pourtant en lutte contre la pègre… Ah, le prudent Joe !

Jackie devra elle aussi apprendre l'art du compromis, à la recherche d'un équilibre entre ses obligations de Première dame et le respect de sa vie de femme et de mère. Les avis sur ce point sont partagés. Celui de l'historien André Kaspi est sans ambiguïté : « Elle n'a pas les qualités qu'on lui a généreusement attribuées. Froide, incapable de saisir les complexités de la vie politique, elle ne montre aucune disposition à se soumettre aux contraintes de la Maison-Blanche. » Au-delà de la confusion possible entre réserve et froideur, cette opinion sévère gomme un peu facilement les réelles qualités démontrées par Jackie tant dans le rajeunissement de la Maison-Blanche que dans le rayonnement quasi royal conféré au couple présidentiel.

De fait, et même s'il existe une part de plaisir égoïste dans son action en faveur de la Maison-Blanche, la nouvelle *First Lady* va parvenir à lui construire une image plus séduisante, tout empreinte de son propre goût classique. Et cela, elle va avoir la sagesse de ne pas l'entreprendre seule ni sans précautions sémantiques. Face aux mises en garde qu'on lui oppose s'agissant d'un héritage culturel et non d'une simple résidence, elle va préférer le concept fédérateur de « restauration » à une trop banale redécoration. Et puis, au lieu de se contenter d'écumer les réserves du lieu, elle va s'appuyer dès janvier 1961 sur un Comité des beaux-arts de la Maison-Blanche, regroupant de riches collectionneurs autour du vieux milliardaire Henry Francis Du Pont. Grâce à eux, elle va collecter 9 millions de dollars en trois ans, acquérir meubles et objets d'art, et recourir à des spécialistes qui l'orienteront vers un mélange de styles XVIIIe et XIXe proposant une ambiance malgré tout actuelle. Sister Parish, sa décoratrice, et Stéphane Boudin,

décorateur parisien familier des demeures historiques,
constituent le noyau technique de son équipe, mais Jackie
s'appuie tout autant sur deux amies intimes, toutes deux
plus âgées qu'elle et mariées à des milliardaires. L'époux de
Jayne Larkin Wrightsman est collectionneur d'art XVIIIe.
Celui de Rachel Bunny Mellon est tout à la fois collectionneur et grand connaisseur de jardins. Grâce à eux, elle
va ainsi également revoir la décoration florale et la roseraie
de la Maison-Blanche. À l'intérieur, elle préfèrera des cor-
beilles façon natures mortes hollandaises ; à l'extérieur, elle
imposera des arbustes en caisse, comme à Versailles ! Tout
cela, en effet, porte la marque de son goût français mais
aussi de sa recherche pour les objets ayant une âme, tel
l'encrier de Jefferson ou le fauteuil de Washington.
D'ailleurs, on la surprend parfois en jean et pull-over
aidant elle-même les déménageurs. Il est vrai qu'on la verra
aussi souvent chez elle, pieds nus, assise à même le sol de
sa pièce à lire et à écrire.

Car, avant de donner vie à cette ambition nationale,
Jackie a d'abord tenu à offrir à sa famille un cadre confortable dans leurs appartements du deuxième étage du
1 600, Pennsylvania Avenue. Ces pièces de la Maison-
Blanche, une dizaine, sont alors « hideuses » et incom-
modes. Dès les trois premiers mois, Jackie y ramène
lumière et gaieté avec des couleurs claires et du chintz. Elle
rompt la monotonie du long vestibule en jouant sur les
éclairages et en ajoutant des canapés. Des murs, elle fait
une galerie d'art avec des Cézanne, des aquarelles de John
Singer Sargent et des tableaux « indiens » de George
Catlin. Et puis, elle impose des feux de cheminée, fait acti-
ver une cuisine et une salle à manger, et instaure une salle
de classe pour les enfants de la Maison-Blanche.

Jack observe et laisse faire ; d'ailleurs il constate que
l'entreprise de son épouse fonctionne. De fait, grâce à sa

volonté et à son perfectionnisme, elle fera paraître à l'été 1962 un guide historique de la Maison-Blanche qui sera un véritable best-seller. Surtout, le 14 février 1962, les Américains découvrent leur nouvelle maison commune à travers une visite guidée par la *First Lady*, en compagnie de Charles Collingwood, vedette de CBS. 46 millions de téléspectateurs suivent l'émission, et, malgré « sa voix essoufflée et [...] son regard de biche-prise-dans-la-lumière-des-phares », Jackie les fascine. Ce n'est pas pour autant qu'elle échappera à toute critique. Ainsi une série d'articles du *Washington Post*, sous la plume de la journaliste Maxine Cheshire, lui vaudra quelques déboires. Sous l'éloge transpirent la démesure des dépenses, son art consommé de solliciter les mécènes et l'acquisition d'un bureau qui serait un faux – de quoi blesser sa donatrice et irriter Jack.

La véritable ambition de Jackie est en fait d'avoir un foyer et de se protéger ainsi que Caroline et John. Elle explique que « le rôle primordial de l'épouse du président est de s'occuper du président et de ses enfants ». Elle refuse que ceux-ci « soient élevés par des nurses et des gardes du corps ». Elle exige aussi la plus grande discrétion du personnel de la Maison-Blanche – on comprend pourquoi ! – et en tout premier lieu de la jeune porte-parole que Jack lui a choisie... Pamela Turnure ! La maîtresse de JFK doit se cantonner à un relatif anonymat et s'abstenir de tout commentaire, même en privé. Cocasse.

Concrètement, lorsque Jackie se trouve à la Maison-Blanche, sa journée débute aussi bien à 8 heures qu'à midi par un petit déjeuner pris au lit et la lecture de la presse. Ensuite elle se consacre au petit John-John, confié à sa nurse, avant de prendre soin d'elle-même puis d'étudier courrier et dossiers. D'une façon générale, elle donne tout le temps possible à ses enfants. Elle est avec eux « comme une mère poule avec ses poussins » et les emmène parfois à Montrose Park ou au terrain de jeux de Q Street. Ses gardes du corps abhorrent ces « mouvements spontanés ». Ils redoutent un kidnapping, mais elle, elle craint les photographes ! Et Jack, lui, profite précisément de ses absences pour organiser des reportages sur leurs enfants… Bien sûr, Jackie n'oublie pas le sport : haltères, tennis – avec « son » agent, Clint Hill – et même du trampoline, cachée par une haie. Attentive à sa ligne, elle déjeune légèrement, éventuellement avec Jack. Car, de fait, Jackie organise aussi son temps en fonction de son mari, afin qu'il puisse voir ses enfants plusieurs fois par jour, y compris dans le jardin. Jack et elle se voient ainsi souvent le midi, moment sacré où JFK s'accorde deux heures de répit dans leur appartement privé, sans personnel ni collaborateurs. Ils se restaurent souvent d'un simple sandwich et puis Jack fait la sieste, généralement seul, mais parfois son domestique doit le réveiller dans le lit de Jackie… Chacun en effet a sa chambre, mais, selon Yusha, ils dorment ensemble.

Ceci, bien sûr, n'empêche pas les multiples aventures de Bunny – elle le surnomme ainsi pour ses appétits sexuels de lapin et sans doute sa rapidité. Côté sport, lui préfère se baigner nu dans la piscine de la Maison-Blanche, sonorisée par son père, et parfois même avec des filles – plutôt deux qu'une –, ses gardes du corps demeurant toujours prudemment en contact avec ceux de Jackie. Au lieu de mettre fin à sa période *poon*, sa situation de président ne fait qu'augmenter son vivier. Tout en désapprouvant l'insécurité qui en découle, les hommes responsables de sa protection l'apprécient et lui facilitent les choses. Certains, d'ailleurs, gardes ou militaires, en tirent sexuellement profit. Ses amis aussi, Dave Powers, Bill Walton, Bill Thompson, Charles Spalding, lui procurent des alibis, voire des filles, et puis il libère le personnel une fois servis boissons et en-cas. C'est ainsi que, pour reprendre la boutade de Ted Sorensen, « Kennedy a fait pour le sexe ce qu'Einsenhower a fait pour le golf ! » Ike, il est vrai, eut aussi hier une maîtresse ; tout comme Johnson... mais aucun président n'aura jamais aussi imprudemment donné libre cours à ses pulsions sexuelles. À la Maison-Blanche, un soir, on aperçoit ainsi une employée blonde courant nue vers le salon ouest ; à Camp David, il séduit une nurse ; depuis son très commode duplex de l'hôtel Carlyle, il s'échappe vers l'Upper East Side par de discrets souterrains ; à Seattle, on surprend un démocrate aviné guidant deux prostituées de haut vol vers sa suite ; etc. JFK joue avec le feu, et sans exclusive aucune !

À la Maison-Blanche tout d'abord, outre Pamela Turnure (vingt-quatre ans), les très jeunes femmes complaisantes ne manquent pas. Les plus régulières sont deux amies rousses de vingt ans, Priscilla Wear et Jill Cowan, surnommées Fiddle et Faddle. Une stagiaire d'à peine vingt ans, Marion Mimi Beardsley, retient aussi son attention. Et puis, il y a le cercle des amies du couple : Diana de Vegh, superbe créature de vingt-deux ans qu'il entraîne dans le lit d'Abraham Lincoln... et encore Helen Schavchavadze, et surtout une artiste peintre, la sensuelle Mary Meyer, belle-sœur de son ami Ben Bradlee – une femme de sa trempe, sans tabous, qu'il entraîne dans la classe des enfants... et avec qui il fume de la marijuana – elle veut l'initier au LSD ! À l'aube de la quarantaine, elle a elle-même été blessée en amour, et elle veut dépasser les autres maîtresses du président. Ex-épouse de Cord Meyer, un responsable de la CIA, elle a été à rude école dans l'art du calcul. Sa relation avec Jack est un puissant mélange d'entente sexuelle et de complicité – un alliage redouté par Jackie. Le nom de la princesse Élisabeth de Yougoslavie sera également cité. Enfin, au-delà de ces privilégiées et de toutes ces starlettes ou simples beautés locales qui rêvent de passer un moment avec lui, Jack s'intéresse, comme son père, aux stars.

Hier, JFK a déjà connu Audrey Hepburn et Gene Tiernay – ex-femme d'Oleg Cassini ! Cette fois, non seulement il tente sa chance auprès de Marlène Dietrich et essaie de tripoter Shirley MacLaine en voiture, mais Jane Mansfield se vantera d'avoir eu une liaison avec lui – alors enceinte ! Et puis il y a Marilyn Monroe, qu'il rencontre à New York ou en Californie et qui se monte la tête, perdue dans son brouillard d'alcool et de barbituriques. Nul n'oubliera cette soirée du 19 mai 1962, au Madison Square Garden – Jackie a fui à un concours hippique –, où l'incontrôlable blonde platine chante un très suggestif « *Happy birthday, M. President !* » moulée dans une robe couleur chair si collante qu'on a dû la coudre sur elle. Ce sera d'ailleurs leur dernière nuit ensemble, à l'hôtel Carlyle, après une réception où Marilyn « entreprend » Bobby. Jack prend ses distances en découvrant que la Mafia a filmé leurs ébats. En outre, Hoover lui a signifié le 22 mars qu'il était informé de ses relations avec Judith Campbell, donc la pègre. JFK, dès lors, s'éloigne aussi de Sinatra, qu'il place en porte-à-faux face à ses redoutables amis. Blessée, Marilyn menace de révéler leur liaison. Bobby, qui doit « la ramener à la raison », prend alors la suite de son frère... mais piégé par les débordements passionnels de l'actrice, il doit rompre à son tour avec elle, le 4 août. Dans la nuit, Marilyn sera trouvée morte par overdose de barbituriques à son domicile de Brentwood. La police conclura à un suicide, mais la venue de Bob, la proximité des Kennedy avec la Mafia puis la disparition du dossier susciteront bien des questions. On envisagera ainsi un discret lavement « overdosé » en barbituriques. On parlera aussi d'un avortement consenti trois semaines plus tôt, suite à sa liaison avec Bob. Et même, dans son ouvrage

Marilyn Monroe, enquête sur un assassinat, D. Wolfe évoquera l'existence d'une fille née de Jack en 1947.

L'année suivante, en tout cas, ce sera Audrey Hepburn qui susurrera « *Happy birthday !* » pour Jack, mais, dès ce 5 août 1962, il passe sa soirée avec Mary Meyer, laquelle sera, comme lui, « exécutée » de deux balles dans la tête, en 1964, sur un chemin de halage de Georgetown… Ainsi le président s'expose dans ses fonctions – un scandale lui coûterait son mandat – mais aussi dans son couple. Le bruit court alors qu'il aurait jadis été marié à une mondaine de Palm Beach, Durie Malcolm. De même, une maquerelle de luxe de Manhattan, Alicia Darr, prétend avoir été fiancée à lui en 1951. Enfin, à l'automne 1963, des sénateurs républicains s'intéressent à une élégante jeune femme de vingt-sept ans, Ellen Rometsch, prostituée originaire d'Allemagne de l'Est, mêlée à une histoire de sexe et de corruption au Capitole… et fréquentant la piscine de la Maison-Blanche – une possible espionne que Bobby renverra les poches pleines dans son pays. Avec cette infection chlamydienne qui le poursuit depuis vingt ans, cela fait pour Jackie bien des raisons d'être blessée par les besoins hormonaux (sic) de son mari !

Jackie est trop fière pour « déballer » en public sa vie privée, mais elle est tout sauf naïve et insensible. Le poids de son malheur et de sa solitude est parfois si grand qu'elle le confie à Lee lors de leurs trop rares rencontres. Plus régulièrement, elle s'en ouvre à un ami de Bobby, le docteur Frank Finnerty, et ses conseils l'aideront à se déculpabiliser et à trouver avec Jack quelque connivence plus satisfaisante pour leur couple. Sans doute aussi ses vagues d'achats vestimentaires – 120 000 dollars de dépenses domestiques pour la seule année 1962 – constituent-elles des compensations à ce mal-être et à ces humiliations. Pas dupe, le vieux Joe veillera d'ailleurs à régler ces factures. Enfin, lorsque les tensions et les rancœurs sont trop fortes, Jackie se laisse aller à punir le président en esquivant ses obligations officielles. Excuse commode, dira-t-on... Elle se serait vantée de n'avoir honoré aucune des milliers d'obligations « hypocrites » annoncées à la *First Lady* – elle a horreur de ce titre. Cela est très exagéré, mais on le lui reprochera. Ethel la remplacera parfois, et plus encore Lady Bird Johnson – une cinquantaine de fois en 1961 – mais aussi Rose, belle-mère qui s'impose en toute occasion mondaine, et Janet, sa propre mère, hôtesse toujours impeccable. Cela lui vaudra d'ailleurs de fréquents conflits avec Laetitia Baldrige (Tish), responsable de ses fonctions de Première dame. Mais, outre ses dépenses et sa résistance à l'encontre de la presse, notamment des femmes journalistes, ce n'est pas l'unique critique que l'on adressera à Jackie. On lui reprochera d'avoir suspendu les visites de la Maison-Blanche pour sa restauration, d'y avoir imposé une climatisation privée pour 85 000 dollars et fait rémunérer son propre personnel par l'État.

Bien plus que tout cela, on pourrait reprocher à Jackie cette obstination forcenée à se protéger – ou ce besoin d'un confort facile ? – en s'échappant de la Maison-Blanche pour de si longs week-ends. Le plus souvent, elle file en effet en Virginie dès le jeudi, avec ses enfants, et n'en revient que le lundi après-midi. Là-bas, à Middleburg, Jack et elle ont loué *Glen Ora*, un manoir à la française de sept pièces, niché au milieu de cent soixante hectares de prairies et de bois. Jackie peut s'échapper dans les boutiques, chasser le renard dans un club huppé et faire de longues promenades à pied et à cheval loin des curieux. Caroline, aussi, peut monter son poney. Là aussi Jackie entreprend des changements – trop, au goût de la propriétaire. Ainsi, au bout d'un an, le couple achètera quelques hectares de collines dans les

Blue Ridge Mountains, mais il n'aura guère le temps de profiter de *Wexford*, la maison qu'il y fera construire pour 100 000 dollars. Fuyant Washington, Jackie ne manquera pas non plus, bien sûr, de profiter de longues vacances à Hyannis Port et à Palm Beach.

Telle est l'indépendance de cette femme blessée par les écarts continuels de son mari ; tel est le prix de sa compréhension. Mais saurait-on lui reprocher ces libertés au regard de tout ce qu'elle apporte de style et d'intelligence à la présidence ? On ne peut ignorer qu'hier on s'ennuyait ferme dans le cadre austère de la Maison-Blanche. La culture y était absente, et Ike et Mamie « trônaient » au milieu de gens debout sans rien à boire. À table, prisonnier du traditionnel plan en U, on ne montrait guère plus d'entrain. Avec Jackie, cette moderne Récamier, tout change. L'endroit se fait chaleureux et convivial, l'hôtesse se montre attentive et moins obstinément sérieuse. Désormais, fleurs et chandeliers habillent des tables rondes de dimension humaine. On boit du vin et des cocktails en écoutant de la musique du XVIIIe, mais on sait aussi savourer le jazz. La grande cuisine s'impose, avec un chef et un pâtissier français, René Verdon et Ferdinand Louvat. Et puis surtout, on y rencontre des artistes : George Balanchine – le premier à inciter Jackie à œuvrer pour l'art –, Rudolf Noureïev, Pablo Casals, Isaac Stern, Tennessee Williams, Elia Kazan… Jackie inspire des soirées culturelles éblouissantes où elle rétablit le goût de la toilette et des bijoux. On donne des concerts et des ballets, on projette des films français et italiens, on lit des extraits d'œuvres littéraires et théâtrales. En fait, en l'absence de politique culturelle, Jackie occupe le terrain au-delà de la Maison-Blanche. Ses coups de cœur l'engagent ainsi dans la défense de telle ou telle richesse patrimoniale, par exemple Lafayette Square et surtout Grand

Central Station, la gare principale de New York. De même, elle demande à sa mère de collecter des fonds pour créer un centre culturel à Washington, alors en manque de rayonnement artistique. Janet récoltera d'ailleurs 7 millions de dollars, dont le premier en une seule soirée ! Avec le soutien de Jack, Jackie mène ainsi une action courageuse à contre-courant d'une lénifiante culture télévisuelle de masse.

De ses pentes naturelles et de ses voyages de *First Lady*, elle tire un goût particulier pour les réceptions d'exception réservées aux grands de ce monde. Elle donnera pleinement sa mesure dès juillet 1961 en organisant un dîner champêtre en l'honneur du président pakistanais Muhammad Ayyub Khan, cet ami nécessaire à l'Amérique. La fête a lieu à Mount Vernon, dans la propriété de George Washington dominant le Potomac. L'endroit, symbolique, rappelle au monde que les États-Unis sont eux-mêmes une nation révolutionnaire. Une tente est dressée sur la pelouse, il y a des fleurs partout, une fanfare et des troupes en tenues d'époque manœuvrant et tirant au mousquet ; des musiciens ont embarqué sur les bateaux pour la promenade sur le fleuve. La soirée est un succès et JFK est ravi, mais elle suscite des critiques, notamment du *New York Herald Tribune*, pour son coût et un luxe rappelant la cour de Versailles ! Déjà, certains dénoncent la folie des grandeurs de Jackie et ironisent sur ses prétendus « dessous en zibeline »… Il est vrai que si elle aime « tirer le rideau » pour se protéger de la presse, elle a tout de même le privilège de goûter ce luxe et ces honneurs qui accompagnent sa vie aux USA, mais plus encore en voyage, y compris sans le président. Ces vacances dorées, toutefois, ne sont pas toujours de tout repos.

Ainsi, en mars 1962, après avoir repoussé trois fois son départ, elle part avec Lee pour l'Inde et le Pakistan, deux pays voisins dont les relations lui imposent un délicat exercice d'équilibre diplomatique. Chemin faisant, tout de noir vêtue, couverte d'une mantille, elle est reçue par Jean XXIII, qui l'étreint en audience privée. En Inde, elle découvre New Delhi, le Taj Mahal, Benares, le Gange. Elle se déplace à dos d'éléphant avec le maharadjah de Jaïpur, dépose des roses sur l'autel du Mahatma Gandhi, mais s'intéresse aussi aux questions sociales. Surtout, elle représente merveilleusement son pays auprès de Nehru, qui s'est emparé de Goa et dont les rapports avec JFK sont peu faciles. Avec une fausse candeur filiale, elle se réfugie contre lui devant un charmeur de cobra... Et puis, le peuple acclame la Reine de l'Amérique, tandis qu'un journaliste la surnomme Burga – Reine du pouvoir. Au Pakistan, où elle entre à Lahore en calèche dorée, l'accueil est des plus chaleureux. Ayyub Khan, reconnaissant, veille à ce qu'elle découvre avec bonheur Rawalpindi, Karachi, la fameuse passe de Khyber et surtout les fabuleux jardins de Shalimar. Ayyub Khan partage sa passion de l'équitation. Il chevauche en sa compagnie, lui offre *Sardar*, un très racé hongre bai, et puis un somptueux collier de perles et de pierres précieuses.

En août 1962, Jackie partira cette fois pour un véritable voyage d'agrément en Europe. Avec Caroline, elle rejoint Lee et Stas à Ravello, où ils ont loué la villa *Episcopio*, un palais dominant Amalfi et la baie de Salerne. Là, cette nouvelle star est prise en chasse par les paparazzi et on la surprend alors dansant ou faisant du ski nautique. On la voit surtout un peu trop en compagnie de Gianni Agnelli, le patron de Fiat, invité lui aussi, avec sa femme, par les Radziwill. À distance, inquiet des ragots, l'« exemplaire » Jack la prie alors de passer davantage son temps avec Caroline. JFK n'aura pourtant guère à se plaindre de Jackie, dont le charisme et le bon sens servent sa présidence. Incontestablement, elle valorise son image et, sans se mêler de politique, sait observer et écouter utilement. Elle amortit aussi les tensions, par exemple avec Nehru, mais aussi dans son propre parti, avec Adlai Stevenson, qui semble sous le charme. Mieux, en offrant aux américaines un nouveau style, elle en vient vite à séduire le monde entier et, dès 1961, elle est d'ailleurs sacrée « femme de l'année » par la presse. Bref, JFK ne saurait rêver meilleure complice pour ses voyages officiels. Et cela, il l'a découvert, ainsi que son courage, dès 1961. Le 15 décembre de cette année-là, Jackie et lui avaient ainsi décollé pour Porto Rico puis la Colombie et le Venezuela, deux pays « réformistes » aux foules peu favorables aux USA. Jack souhaite établir de nouvelles relations avec l'Amérique latine grâce à son programme d'aide *Alliance for progress*. En dépit de la présence de 20 000 soldats, la traversée de Caracas, surtout, y est alors jugée dangereuse. Nixon y a hier reçu des pierres. La peur est présente, mais tout se passe bien. Mieux, son intervention en espagnol à La Morita vaut à Jackie un tonnerre d'applaudissements qui annonce les confettis et les pétales de roses de Bogota. Il est vrai qu'elle a déjà fait bien mieux dans d'autres contextes politiques guère plus faciles !

De fait, dès le début de son mandat, JFK s'inquiète des menaces communistes au Laos, à Berlin et plus encore à Cuba, où il commet l'erreur de se fier aux « spécialistes » et d'autoriser l'opération de débarquement préparée par la CIA avec la complicité de la Mafia, atteinte dans ses intérêts à La Havane. En renonçant à un trop critiquable second appui par des avions américains pilotés par des exilés cubains, il condamne les forces anticastristes à échouer dans la baie des Cochons. La Navy n'intervient pas non plus et l'opération Pluton est un désastre pour les 1 400 hommes entraînés au Guatemala. 1 200 d'entre eux sont capturés, les autres sont tués, et cela restera pour Jack la mésaventure la plus douloureuse de sa carrière. Il se sent floué et redoute d'être pris pour un amateur. Cuba devient dès lors son idée fixe. Il redoute que Fidel Castro ne « mette la main sur le continent ». Jackie le trouvera très affligé et s'essaiera en vain à le réconforter. Un matin, elle le surprend même en pleurs – ce que Joe interdit à ses enfants. Cela, au moins, le dissuadera de tenter au Laos, à 8 000 km de là, ce qu'il a raté à 150 km des États-Unis ! Mais c'est dans ce contexte qu'il entreprend un voyage en Europe à la toute fin mai 1961. Jackie lui sera alors fort précieuse. Après leur visite au Canada, où elle remporte déjà un triomphe, Jackie en effet séduit d'entrée les Français ; mieux, Charles de Gaulle en personne, pourtant contrarié par l'affaire de la baie des Cochons et l'assassinat du dictateur dominicain Rafael Trujillo, dont on soupçonne la CIA. Elle-même l'admire et elle a lu ses mémoires. L'accueil à Paris est grandiose : immense foule en liesse, cent un coups de canon et logement au milieu des formidables richesses classiques du Quai d'Orsay. Jackie aimerait voir naître une entente Kennedy-de Gaulle comme il y eut jadis une entente Washington-Lafayette. Mais si JFK parvient à établir un climat de confiance avec le président français, il ne le convainc pas de renoncer à l'armement nucléaire. En revanche, à l'Élysée, celui-ci s'étonne avec admiration que Jackie sache l'histoire de France mieux que bien des Françaises. André Malraux, dont elle connaît l'œuvre, est lui aussi charmé. Le ministre de la Culture vient de perdre ses deux fils dans un accident de voiture ; pourtant, il a à cœur de rendre agréable sa visite du Jeu de Paume et du Louvre, puis de la Malmaison et de la folie de la Pompadour près de Saint-Cloud. En remerciement, la *First Lady* lui organisera le 11 mai suivant un dîner à la Maison-Blanche avec entre autres célébrités Charles Lindbergh et Arthur Miller... second ex-époux de Marilyn Monroe. Il est vrai, ce très estimé complice prêtera bientôt l'inestimable *Joconde* à la National Gallery. Pour l'heure, la réception à Versailles, avec dîner aux chandelles dans la galerie des Glaces et ballet au théâtre Louis XV, représente pour Jackie l'épisode le plus émouvant de ce voyage. À table, elle se substitue même à l'interprète, qui restitue mal l'esprit de Jack, et elle « attendrit » le général. JFK mesure alors son potentiel politique. De son côté, la presse française ne manquera pas de s'extasier devant ses toilettes, et notamment, à Versailles, devant sa longue robe du soir en soie blanche signée Hubert de Givenchy et ses diadèmes de diamants. « Versailles a une reine », écrit-on, et Jack lui-même déclarera non sans humour : « Je suis l'homme qui a accompagné Jacqueline Kennedy à Paris. »

À Vienne, prochaine étape du voyage, l'ambiance sera hélas tout autre. Alors que JFK est venu y rencontrer Khrouchtchev les 3 et 4 juin avec l'espoir d'un renoncement aux essais nucléaires, le Russe prend aussitôt le dessus avec une agressivité mal cachée par sa lourde jovialité. Jack s'est fait mal au dos en plantant un arbre au Canada ; malgré les piqûres du bon Docteur Feelgood, il reste diminué, incapable d'user de son charme redoutable sur son interlocuteur. Pis, le voici sous le choc. Jackie, elle, se montre toujours aussi séduisante et hardie lors du dîner au château de Schönbrunn. Glissée dans une robe rose argenté très près du corps, elle pousse la compréhension diplomatique jusqu'à rire des plaisanteries bouffonnes de cet homme peu raffiné qui avait été jusqu'à taper sur la table de l'ONU avec sa chaussure ! Alors qu'on redoute la susceptibilité de Monsieur K, elle s'exclame plaisamment : « Ne m'ennuyez pas avec vos statistiques ! » Khrouchtchev en rit et apprécie sa compagnie. Il saluera d'ailleurs son sens de la répartie et lui enverra plus tard la « fille » de Laïka, la petite chienne envoyée dans l'espace. Toutefois, le lendemain, cela ne l'empêchera pas de traiter à nouveau son mari « comme un petit garçon », se fâchant pour Berlin – cette arête dans sa gorge – et se disant prêt à la guerre. Alors, prédira sombrement Jack, « l'hiver sera froid ». Et de fait, deux grandes crises opposeront bientôt JFK à son homologue soviétique.

Lorsque, au retour, ils gagnent Londres pour le baptême de Tina Radziwill, les Kennedy sont transformés. Jack revient secoué, « comme passé à tabac » par la découverte d'une réalité politique internationale dont il mesurait mal la brutalité. Comme Roosevelt à Yalta, face à Staline, il n'était pas prêt à affronter pareille duplicité. Affaibli par ce second désastre, il trouve là un prétexte pour aller prendre conseil auprès du Premier ministre britannique, son ami et son « guide » Harold Macmillan. Jackie, elle, est méta-morphosée. Cette femme blessée par les trahisons de son mari, les critiques de sa mère et ses grossesses difficiles n'ai-mait pas son corps, avec ses petits seins, ses mains d'homme aux ongles rongés et ses pieds taille 42. La voici qui revient rassurée quant à son pouvoir de séduction et à ses capacités. Elle va désormais trouver sa place auprès du président. En suscitant des événements brillants, elle va s'ingénier à faire oublier ses échecs et à renforcer son image d'homme d'État. En réalisant que la Maison-Blanche doit être avant tout un lieu de pouvoir, elle va maintenant veiller tout particulièrement à ce que sa restauration lui offre un cadre digne du sien.

À Londres, le couple dîne avec Élisabeth II, puis Jack regagne les USA, laissant Jackie repartir avec les Radziwill pour un week-end prolongé en Grèce, à l'invitation du Premier ministre Constantin Karamanlis. Là-bas, ils visi-tent l'Acropole, disposent d'une luxueuse villa et d'un

yacht de quarante mètres pour une odyssée dans les
Cyclades : Epidarius, Delos, Mykonos, Poros, Hydra, le
cap Sounion… Jackie se régale de beautés classiques, mais
on la voit aussi danser dans une boîte de nuit d'Athènes…
Lorsqu'elle regagne son pays, on s'étonne de ce détour tandis que son mari est brisé par un horrible mal de dos qui
l'oblige même à accéder à son avion, *Air Force One,* par un
chariot élévateur. Mais Jack, lui, vient l'attendre avec respect à l'aéroport. Il sait désormais ce qu'elle pèse en termes
d'image et de diplomatie sur une scène internationale aussi
impitoyable en ces temps de guerre froide. De fait, il va
avoir besoin de tous ses atouts pour les deux bras de fer qui
vont l'opposer en peu de mois à Khrouchtchev.

La première crise survient en octobre 1962, alors que
JFK est aux prises avec des émeutes raciales dans le Sud.
Les treize jours de la crise des missiles sont alors l'héritage
des tensions exacerbées entre les USA et Cuba depuis l'affaire de la baie des Cochons. Jack et Bobby n'ont pas
désarmé contre Castro, qu'ils souhaitent tuer ou déstabiliser par les coups tordus organisés de concert par la CIA et
les mafieux de Sam Giancana et Johnny Roselli, dans le
cadre de la très souterraine opération Mangouste, confiée
au colonel Edward Landsdale. Face à la menace d'invasion
américaine, le Lider maximo s'est rapproché de Moscou.
Des soldats puis des missiles sol-air soviétiques ont été
appelés en renfort sur l'île, et puis, le 16 octobre 1962, on
présente à JFK des photographies aériennes de missiles
nucléaires à moyenne portée. L'Amérique est menacée et le
président enrage contre la duplicité de Khrouchtchev.
Néanmoins, il ne livre son secret au monde que le
22 octobre, après avoir préféré les mesures de quarantaine
préconisées par McNamara aux bombardements massifs
demandés par les faucons du général Maxwell Taylor.
Durant sept jours le monde va retenir son souffle. Des

cargos russes font route vers Cuba et l'on redoute qu'un incident ne dégénère en conflit nucléaire. Jack a lui aussi les pires craintes pour sa famille. Jackie et lui se rapprochent alors. On les voit souvent ensemble, on les surprend s'enlaçant en silence devant leur hélicoptère. Lui veut qu'elle demeure avec leurs enfants à proximité de l'abri antiatomique de la Maison-Blanche, et elle ne veut pas le laisser seul. Heureusement, Khrouchtchev ne joue pas la politique du pire tant redoutée depuis Vienne. Ses cargos se déroutent et, le 28 octobre, Radio-Moscou annonce le démantèlement des rampes de missiles. La fermeté a payé, même si, en échange, les USA retirent discrètement leurs propres missiles de Turquie. En tout cas, JFK triomphe et rachète ses deux échecs. Soulagé, il s'accorde un crochet par *Glen Ora* pour partager son bonheur avec Jackie.

L'autre pomme de discorde est bien sûr Berlin, cette enclave occidentale en Allemagne de l'Est. Déjà, en 1948, Staline s'est essayé à un blocus. En vain. Le pont aérien anglo-américain a livré 2,5 millions de tonnes de ravitaillement aux assiégés et Staline a dû renoncer en 1949, au bout de 321 jours. Depuis 1958, Khrouchtchev maintient la pression sur la ville, où nombre de citoyens de RDA — et de cerveaux ! – fuient à Berlin-Ouest. Pour juguler cette hémorragie, le 13 août 1961 à l'aube, les soldats est-allemands coupent Berlin en deux avec des barbelés. C'est un dimanche ; JFK ne réagit pas. Pis, il laisse remplacer le fil de fer par un double mur. Enfin, sans se laisser impressionner par les deux divisions soviétiques menaçant la ville, il envoie un convoi de 1 500 GI par l'autoroute, et Khrouchtchev, à son tour, laisse faire. Il a marqué un point, mais le déséquilibre nucléaire, le *missiles gap*, joue en fait en sa défaveur : il a trois fois moins de missiles et cinq fois moins de bombardiers à long rayon d'action que les USA. Chacun reprend ses essais nucléaires, mais en manifestant des signes de conciliation. Le véritable épilogue de la crise se situe le 26 juin 1963 à Berlin-Ouest, où JFK vient voir le mur de la honte et est acclamé par un million de personnes. Cette fois-ci, Jack a le dernier mot, dans un discours dont le sens de la formule traversera le temps : « Tous les hommes libres, où qu'ils soient, sont des citoyens de Berlin, et c'est pourquoi, en homme libre, je suis fier de dire aujourd'hui : *"Ich bin ein Berliner"*. » Pour la deuxième fois, il est reconnu comme un homme d'État ; mieux, le champion du monde libre. Et hélas, cette consécration planétaire ne saurait suffire à son épouse, même si elle et lui se font également acclamer par un million de spectateurs, le 1er juillet, à Mexico, où elle prend à nouveau la parole en espagnol ; même si, aussi, il l'écoute quand elle l'encourage dans la voie du dialogue Est-Ouest et le pousse à livrer pour 250 millions de dollars de blé à l'URSS. De fait, Jackie pourrait être plus heureuse et épanouie sans ces trahisons de son mari qu'elle croit lire dans le regard de ses gardes et de ses amies, et qui la poussent à préférer la solitude. Le mauvais sort, toutefois, va leur imposer deux occasions de se rapprocher.

JFK ne savoure pas depuis un an son accès au pouvoir lorsque, le 19 décembre 1961, son père se trouve pétrifié par une attaque cérébrale. Aphasique, paralysé du côté droit, voici Joe prisonnier de son corps, cloué à un fauteuil roulant, lié à une bouteille d'oxygène. Le vieux requin des affaires le vit mal, souvent en rage ou en larmes, lançant des objets avec violence. Jack est désemparé. Jackie, au contraire, montre dans ce malheur autant de grandeur que d'affection. Elle est très présente et aide Joe à lutter contre sa honte, serrant cette main déformée qu'il cache, embrassant cette joue inerte. Lorsqu'il tente ses premiers pas, elle tient à être là pour lui offrir une canne à pommeau d'argent. Il est en pleurs et elle est bouleversée, tant elle sait combien il l'aime. Joe retrouve en elle quelque chose de Katleen (Kick), cette fille préférée disparue en 1948 dans un accident d'avion en France.

En 1963, ce sera au tour de Jackie d'être frappée par le sort. En avril, la voici à nouveau enceinte. Jack est ravi et, dès lors, voyage seul aux États-Unis et en Europe. Pour l'été, il loue une maison sur Squaw Island, une péninsule de Hyannis Port, mais cet été sera douloureux. Le 7 août, Jackie doit être hospitalisée sur la base aérienne d'Otis. Avec six semaines d'avance, elle met au monde un garçon de 1,8 kg, Patrick, qui souffre d'insuffisance respiratoire. Il faut l'emmener à l'hôpital pour enfants de Boston, puis lui trouver une chambre à oxygène. Jack l'a rejointe très vite et il dort sur place, mais le bébé s'éteint à l'aube du 9 août, et c'est lui – qui sanglote ! – qui lui porte la nouvelle. Jackie n'aura pas la force d'assister à l'inhumation, à Brooklyn. Lee et Janet accompagnent Jack, qui glisse dans le petit cercueil la médaille de saint Christophe, faisant pince à billets, que Jackie lui a offerte pour leur mariage.

Et justement, en dépit de tant de malheurs, les voici bientôt, le 12 septembre, qui fêtent leurs dix ans de mariage à *Hammersmith Farm*, un endroit que Jack recherche pour sa tranquillité et où il s'est épris d'affection pour les Auchincloss. Cette fois-ci il n'y a pas de joie derrière les apparences et les cadeaux. Jack, très atteint, invite Jackie à se choisir un bracelet-serpent chez Van Cleef & Arpels, et elle – toujours « radin » – lui offre une nouvelle médaille de saint Christophe. En vérité, Janet redoute une dépression pour sa fille, et Lee s'inquiète pour sa sœur. Or, après avoir divorcé de Michael Canfield pour se remarier avec Stas, après même avoir couché avec Jack, pensent certains – et peut-être Jackie ! –, la princesse Lee Radziwill entretient désormais une liaison avec Aristote Onassis, et ce à la barbe de son époux. D'aucuns soupçonnent en effet

Stanislas de se comporter en « maquereau » dès lors que ses intérêts chez Olympic Airways, fleuron d'Onassis, sont en jeu. Lee incite donc son cher Ari à inviter Jackie à les rejoindre en croisière, et celle-ci accepte malgré les réticences de Jack. Ceci est la version couramment admise de cette escapade, mais, dans son livre *Mon ami Onassis*, le journaliste Jacques Harvey indique que Jackie aurait d'abord embarqué sur le yacht des Goulandris, autres riches armateurs, avant qu'Onassis ne se fâche pour que Lee l'attire sur le *Christina*.

L'équipée déplaît plus encore à Bobby, ennemi juré d'Onassis avec son beau-frère l'armateur Stavros Niarchos. Ari a l'image d'un séducteur et d'un pirate en indélicatesse avec la justice américaine pour une affaire de *Liberty ships* achetés à vil prix. Bob a commencé sa carrière dans une commission d'enquête de la mouvance de McCarthy et, en pleine guerre de Corée, il a dénoncé le « commerce du sang » des armateurs gréco-new-yorkais poursuivant leur business avec la Chine. Onassis a vu alors ses navires saisis et a été interpellé par la police. Depuis, il soupçonne la main de Bobby derrière chacun de ses échecs : à Monaco, lorsque Rainier II le met en minorité dans la SBM ; à Djedda, lorsque Niarchos et la CIA font capoter son projet de flotte avec le roi Saoud ; à Haïti, lorsque Papa Doc Duvalier préfère Mohamed Al Fayed pour un projet de nouveau Monte-Carlo avec pavillon de complaisance. Ainsi, lorsqu'elle embarque au Pirée, début octobre, Jackie est chaperonnée par Franklin D. Roosevelt Jr, mais cette échappée jet-set fera les choux gras de la presse. Avec 98 m de long, soixante hommes d'équipage, sa piscine à fond relevable en piste de danse, une cheminée en lapis-lazuli et sa robinetterie en vermeil, le *Christina* affiche un luxe inouï.

Bien sûr, Jackie retrouve là un moment de légèreté auprès d'un homme plus âgé, puissant et madré, dont le charme compense le peu de beauté. Comme avec Nehru, elle se fait coquette. « Elle se montrait si langoureuse qu'il se sentait lui pousser des ailes », relatera Roosevelt J.-R. Hélas, Jackie est photographiée en bikini. Le cliché fait le tour du monde, et un député s'en indigne eu égard à son rang et son deuil. Une fois de plus, JFK s'inquiète pour son image. Il voudrait hâter son retour, mais quelle autorité ses propres écarts lui conservent-t-ils ? Jackie s'attarde au Maroc, à l'invitation du roi Hassan II. Et puis, elle porte ombrage à Lee, à qui elle en veut d'avoir accompagné JFK à Berlin. À Istanbul, la princesse se voit ainsi offrir par Ari trois petits bracelets « ridicules », tandis que la *First Lady* en reçoit un serti de rubis d'une valeur d'au moins 50 000 dollars.

En vérité, selon Peter Evans, Jackie se serait donnée à Ari lors de ce voyage, au large d'Ithaque ; ce que semble penser Evelyn Lincol. Le retour, le 17 octobre, n'en laissera pourtant rien paraître, même si ses malles sont pleines d'antiquités et de vêtements. Non seulement il suffit à Jackie d'apparaître pour se faire pardonner, mais, à l'approche des présidentielles de 1964, JFK tient à offrir à la presse une image idyllique. Pas question de laisser entrevoir un divorce, même si l'idée est dans l'air ! D'ailleurs, n'est-il pas aux petits soins pour Jackie depuis la mort de Patrick ? « Ils étaient très, très proches [...], affirmera Janet. Il appréciait ses dons et elle le vénérait [...]. » Jackie elle-même dira regretter ce temps de la compréhension et du respect : « Il nous a fallu très longtemps pour trouver notre mode de fonctionnement, mais nous avons fini par y parvenir [...]. » Alors, y aura-t-elle sincèrement cru en ce temps heureux qui, en effet, ne va pas durer ?

En septembre, Jack a voulu faire une surprise à Jackie en louant pour l'été suivant *Annandale Farm*, la propriété voisine d'*Hammersmith Farm*, mais, de fait, ils n'en profiteront

pas. Pour se faire pardonner, Jackie accepte de l'accompagner en cette terre hostile du Sud que symbolise Dallas.
Là prendra brutalement fin l'aventure de Camelot. Là
débutera pour Jackie une tout autre vie, d'abord marquée
par un statut social des plus pesants puis par une extrême
légèreté.

VI

LA VEUVE ET LE PIRATE :
L'AUTRE IMAGE DE JACKIE

1963-1975

Qu'elle est proche du Capitole, la roche Tarpéienne !
On pense qu'ils ont tout lorsque Jack et Jackie décident de partir ensemble au Texas pour une campagne présidentielle 1964 fondée sur la paix et la prospérité. Il fait figure de leader du monde libre, elle est la femme la plus connue au monde. Et soudain, en une poignée de secondes, tout va basculer. Formule provocante, « la Veuve et le Pirate » est pourtant celle qui résumera le mieux la situation exceptionnelle de Jackie entre ses deux veuvages. Enfant sacrée de l'Amérique, elle va bientôt susciter l'indignation en mariant son destin à celui d'un homme générant soupçons et antipathie aux USA.

JFK s'est donné deux jours pour séduire le Texas, et, de fait, Jackie et lui sont acclamés le 21 novembre 1963 à San Antonio, Houston et Fort Worth, où ils passent la nuit. Mais ils le savent, l'étape sera plus délicate à Dallas, où les démocrates du gouverneur conservateur John Connally s'opposent à ceux du libéral Ralph Yarborough. La ville, surtout, est une marmite où la criminalité bat des records et où bouillonnent les groupes d'extrême droite les plus ultras, telle la John Birch Society du général Edwin Walker. Le *Dallas Morning News,* aussi, échauffe les esprits de Big D, déjà en proie aux vieux démons ségrégationnistes combattus par JFK.

Johnson est au contraire chez lui à Dallas. Il y fréquente le F8, un groupe d'une dizaine de personnages considérables du pétrole et de la banque, de politiciens et de militaires – dont Walker. Hostiles à JFK et aux Rouges, ils se réunissent chaque semaine dans la suite F8 d'un hôtel. Le pétrolier H. L. Hunt, l'homme le plus riche d'Amérique, est leur maître à penser et le bailleur de fonds de Johnson. LBJ et Connally, qui l'a soutenu en 1960, se joignent ainsi parfois à eux. D'ailleurs, ce soir du 21 novembre 1963, Johnson les rejoint dans le ranch d'un autre pétrolier du F8, Clint Murchison, où ils font fête à Hoover… Nixon (qui sera élu président en 1968), venu à Dallas pour une conférence, est aussi présent. Le F8 et ses amis du lobby militaro-industriel ont alors bien des griefs contre Kennedy qui, en octobre, a décidé le retrait d'un millier de soldats du Vietnam et l'abandon de l'abattement fiscal sur les revenus du pétrole – une perte de 280 millions de dollars pour les milliardaires texans ! Et puis, Johnson sait que JFK va le débarquer du ticket démocrate. La vente de blé à l'URSS, appuyée par Jackie, lui vaut le soutien des producteurs du Middle West, et les sondages sont favorables pour 1964. Après, en 1968, Bobby pourrait lui aussi barrer la route à LBJ. D'ailleurs, l'Attorney général veut faire éclater contre lui deux scandales financiers le liant à la Cosa Nostra et à son ennemi intime, Jimmy Hoffa, puissant patron du syndicat des camionneurs. Enfin, Hoover lui-même voudrait rester à la tête du FBI au-delà de la limite d'âge, et JFK fait la sourde oreille.

À 11 heures 40, le 22 novembre, Jack et Jackie débarquent sous un très chaud soleil à l'aéroport de Dallas Love Field et partent en cortège pour le Trade Mart, un centre commercial imposé par Connally pour un repas de 2 600 convives. La traversée du centre-ville a été jugée dange-reuse, mais c'est une foule conquise que JFK salue depuis sa Lincoln Continental décapotée. En débouchant peu avant 12 heures 30 sur Dealey Plaza, vaste espace dégagé, la lourde limousine bleue doit ralentir exagérément – moins de 20 km/h ! – pour négocier un virage en épingle sur un itinéraire modifié par Jack Puterbaugh, assistant du gouverneur. John et Nelly Connally sont assis sur des stra-pontins devant les Kennedy, là où devait se trouver le rival du gouverneur, le sénateur Ralph Yarborough – c'est JFK qui l'a décidé. C'est alors que retentissent des détonations que l'on prend pour des pétards ou des pétarades de motos. Jack tourne d'ailleurs la tête vers Jackie pour s'as-surer que tout va bien. D'autres détonations vont alors suivre et Connally va crier « Non ! » à plusieurs reprises en se retournant. D'abord, dans un réflexe spinal, le président semble vouloir porter ses mains à sa gorge ; une balle l'a frappé à la nuque et ressort sous sa pomme d'Adam. Connally, lui-même bientôt touché, hurle : « Mon Dieu, ils vont tous nous tuer ! » Autour d'eux, on réalise mal la situation. Pis, au lieu d'accélérer, Bill Greer, chauffeur pourtant expérimenté, a levé le pied et se retourne lui aussi ; la Lincoln manque s'arrêter. Un autre agent du *Secret Service* – à ne pas confondre avec la CIA – a bien réagi. Le dévoué Clint Hill saute du marche-pied de la Cadillac de la sécurité, placée entre les voitures de Kennedy et de Johnson. Il court vers la Lincoln, où Jackie tente de tirer Jack par le bras pour le mettre à l'abri. Il y a alors une nouvelle détonation, et JFK, touché à la tête, est rejeté en arrière. Une balle – au moins – lui fait exploser le côté droit de la tête. Sang et matière cervicale sont proje-tés alentour, jusque sur Connally, qui s'affale sur sa femme, et sur le tailleur rose de Jackie. La *First Lady* se jette alors sur le coffre arrière de la Lincoln en un mouvement

instinctif demeuré obscur : soit pour fuir, soit pour y récu-
pérer un morceau de crâne de son mari ! En tout cas, à ce
moment-là, Greer accélère brutalement, la mettant en
danger. Clint Hill, qui bondit sur le coffre et qu'elle aide à
monter, la repousse sur la banquette. Les tirs ont duré au
plus sept secondes. Déjà la panique s'empare de la foule, et
la voiture se dégage vers une voie rapide.

Lorsque la limousine se présente six minutes plus tard
aux urgences du Parkland Memorial Hospital, Jackie,
tétanisée, garde sur ses genoux le corps inerte de son mari.
On a écrit qu'elle conservait une partie de son cerveau
entre ses mains réunies en coupelle. Elle semble plutôt
vouloir contenir l'horrible blessure. Pour l'enquête, en
1964, elle déclarera : « J'ai alors crié : "Ils ont tué mon
mari, j'ai son cerveau dans la main." [...] Il fallait maintenant tenir son cuir chevelu et les os de son crâne. » Un
autre récit rapporte qu'aux urgences elle aurait tendu à
l'anesthésiste « un bout du cerveau de son mari ». Ces
détails sont effroyables, mais de fait pour Jackie l'horreur
continue. Recouvrant la tête mutilée du président avec sa
veste, Clint Hill la convainc d'abandonner Jack aux
médecins. Connally, atteint dans le dos, au poignet et à la
cuisse, sera sauvé, mais pour Kennedy c'est sans espoir.
Trachéotomie, intubation, massage cardiaque, ne peuvent
rien, et bientôt le prêtre appelé par Jackie lui donne l'extrême-onction. Toujours très volontaire, Jackie s'est impo-
sée dans la salle Trauma 1 tandis que des agents de Jack
pleurent, que Dave Powers sanglote. Elle-même tombera
à genoux sur le sol ensanglanté et priera, mais elle aura
aussi le courage de baiser les lèvres de son mari et lui glis-
sera son alliance au doigt – elle récupérera plus tard ce
précieux souvenir. Mais Jackie assiste encore à des événements qui la dépassent. Le corps du président a été placé
dans un cercueil de bronze et déjà se pose la question de

l'enquête, du ressort de la police de Dallas. Le médecin légiste exige de pratiquer l'autopsie, alors Jackie s'enfonce dans un film noir. Armes au poing, les agents du *Secret Service* font embarquer le cercueil vers *Air Force One* – empressement préjudiciable à l'enquête puisque l'autopsie sera confiée à un hôpital de la Marine.

La mort de Kennedy a été déclarée à 13 heures 30. Dès 14 heures 30, le nouveau président, Lindon B. Johnson, prête serment à bord d'*Air Force One*, qui décolle aussitôt pour Washington. Une photo surprend le clin d'œil que lui adresse alors le sénateur Albert Thomas. Jackie, sous le choc, se tient à gauche de LBJ, et Lady Bird se souviendra n'avoir jamais vu quelqu'un d'aussi seul. L'épouse de JFK demeurera abattue durant tout le vol, veillant le cercueil et refusant de changer son tailleur ensanglanté, afin que tous à Washington puissent voir ce que l'on a fait à son mari. Là, toutefois, s'arrêtera la vengeance de Jackie. Prudemment sans doute – dans l'intérêt de ses « poussins » –, cette mère va choisir de se taire sur l'enquête trop empressée, les commissions trop bien cadrées et le cortège de camouflages et de morts suspectes qui caractériseront ce chaos d'État.

De fait, l'enquête va aller très vite – trop ! À 12 heures 37 on a investi le Texas School Book Depository, le dépôt de livres d'où l'on aurait tiré sur Kennedy. « On », ce serait Lee Harvey Oswald, un ancien marine hier parti vivre en URSS et marié à une émigrée russe. Ce « communiste pro-castriste » et « déséquilibré » aurait agi seul, tirant dans le dos de JFK avec un vieux fusil à lunette Mannlicher-Carcano acheté par correspondance. À 13 heures 16, il aurait également abattu un agent de police et, dès 14 heures, on l'arrête dans un cinéma. Parfait pigeon ? Il le dira, mais n'aura pas le temps de parler. Le 24 novembre, à 11 heures 20, lors d'un transfert, il est abattu d'une balle à bout portant par un certain Jack Ruby, un patron de boîte de nuit qui dira avoir agi par vengeance. Cette disparition va permettre de graver commodément dans le marbre la théorie du tireur solitaire. Car déjà on s'interroge sur un possible complot, on se demande à qui profite le crime.

Johnson (qui sera réélu président en 1964) et Hoover imaginent alors une commission d'enquête confiée au président de la Cour suprême, Earl Warren. Parmi ses membres figurent Allan Dulles, limogé de la CIA par JFK après la baie des Cochons, le sénateur Richard Russel, vieil ami de Johnson, John Mac Cloy, invité occasionnel du F8, et Gérald Ford (qui sera élu président en 1974) qui espionne là pour le compte du FBI. De fait, la commission va devoir prendre pour argent comptant les éléments fournis par le FBI et savamment rendus publics par Hoover. L'enquête « oublie » pourtant nombre de témoignages et de pièces à conviction ! Maints policiers de Dallas appartiennent à des organisations extrémistes, et les fédéraux de Hoover s'accommodent facilement des consignes de leur chef. On ferme les yeux sur le fait qu'Oswald et Ruby se connaissaient et sur beaucoup d'autres choses encore. En octobre, en effet, Ruby a eu de nombreux contacts téléphoniques avec les amis de Hoffa, Giancana et Santos Trafficante, l'homme de la Mafia à Cuba. Le 21 novembre, il a rencontré Lamar Hunt, fils du pétrolier du F8 – Nelson, l'autre fils, ayant alimenté la campagne de presse haineuse contre JFK. Sur Dealey Plaza, un panneau de signalisation percé par une balle a été changé dès le 22 au soir sur ordre du maire de Dallas, Charles Cabell, membre du F8. Le propriétaire du dépôt de livres, H.D. Byrd, appartient lui-même au F8. Le jeu de Hoover sera d'autant plus facile que Jackie se tait et que Bobby, sous le choc, laisse faire et redoute des révélations sur les Kennedy. Sans vergogne, on inventera ainsi la théorie de « la balle magique » lorsque s'imposera enfin le film amateur d'Abraham Zapruder : vingt-deux secondes d'images 8 mm classées sans suite par la police et pourtant sans doute trafiquées (recadrages et inversions) dans le laboratoire que la CIA ouvre au FBI.

Avant de mourir, Frank Costello dira qu'Oswald n'était qu'un pigeon. Evelyne Lincoln, la secrétaire de JFK, écrira : « À mon avis, les cinq conspirateurs étaient Lyndon B. Johnson, J. Edgar Hoover, la Mafia, la CIA et les Cubains de Floride. » De fait, dès le début de son mandat, le premier cité annulera le retrait des troupes du Vietnam et la taxation des revenus sur le pétrole, et il modifiera la loi pour que Hoover conserve ses fonctions. De même, on n'entendra plus guère parler des affaires Bobby Baker et Billy Sol Estes, qui menaçaient sa position. Pourtant, dans ce qui serait un véritable coup d'État, il est difficile de dire qui a commandité, qui a fait ou laissé faire, qui a couvert ou exploité l'assassinat de JFK. Ce qui est sûr, c'est que Jackie demeure bien fragile pour s'opposer à cet univers du crime, du pouvoir et de l'argent. Tout au plus peut-elle protéger la mémoire de Jack en offrant d'elle à la Nation l'image d'une icône rendue intouchable par une dignité exemplaire. C'est très exactement ce qu'elle va faire.

La nouvelle de l'assassinat a semé la consternation dans le monde et atterré l'équipe de JFK. Bob est le premier à monter dans l'avion sur la base d'Andrews. Tandis que Sorensen s'effondre, McNamara et lui se montrent forts pour Jackie, « brûlée vive », mais le frère de Jack est brisé par la douleur. Bientôt, « comme muré en lui-même », il se réfugiera dans de longues promenades au bord du Potomac, relisant les livres aimés de Jack, portant ses vêtements. Teddy et Eunice n'apprendront la nouvelle à leur père que le lendemain, et le vieux Joe ne pourra retenir ses larmes, les yeux agrandis par la panique. Caroline et John-John, eux, ont été conduits dans la maison des Auchincloss, sur O Street. Janet a ordonné à Miss Shaw d'apprendre la mort de leur père aux enfants, et Caroline va manquer s'étouffer à force de sangloter. Famille et proches vont passer huit heures à l'hôpital naval de Bethesda, le temps de pratiquer l'autopsie et de reconstituer le visage de JFK. On parlera tantôt de farce, tantôt de mise en scène pour cette partie de l'enquête. Des prélèvements et des fragments de corps – dont le cerveau ! – disparaîtront. Jackie elle-même aurait tenu à ce que certains documents demeurent inaccessibles à la presse, afin de protéger ses enfants. À l'hôpital, elle et sa mère s'étreignent un moment. Désormais elle se libère en racontant l'assassinat avec force détails. Jackie croit en Dieu, mais se demande où il est passé. Déjà aussi elle s'inquiète de n'avoir plus de maison pour ses enfants, et Janet redoute de la voir fuir les USA pour la France. Ce soir-là, Hughdie et sa mère acceptent de dormir dans la chambre de Jack. En dépit des tranquillisants, Jackie ne trouve pas le sommeil et, comme une enfant, vient les rejoindre dans le lit de Lincoln. Bientôt Janet rangera dans son grenier le carton contenant le tailleur ensanglanté de sa fille…

C'est Sargent Shriver qui organise les funérailles sous le contrôle de Jackie, en s'inspirant de celles de Lincoln. McNamara réussit à imposer le cimetière national d'Arlington, et Jackie y veut une flamme éternelle, comme sous l'Arc de Triomphe de Paris. Bunny Mellon s'occupe des décorations florales, notamment des palmiers de la rotonde du Capitole. En attendant, la dépouille de Jack a été déposée dans la salle est de la Maison-Blanche. Au vu de son visage reconstitué, Spalding recommande de présenter au public le cercueil fermé ; pourtant, Jackie a le courage de l'embrasser et de couper une mèche de ses cheveux, qu'elle partage avec Bobby. Elle dépose aussi quelques chers objets dans le cercueil, et puis une lettre mouillée de larmes, un gribouillage de John-John et ce petit mot de Caroline : « Papa chéri, tu vas nous manquer beaucoup à tous. Papa, je t'aime beaucoup. » Le samedi, une messe est donnée là pour la famille et Jackie s'emporte contre le prêtre qui l'invite à se confesser en ces circonstances. Lee a alors rejoint sa sœur, et... Pamela Turnure sanglote. Mais Lee, aussi – peut-être à la demande de Jackie – a invité Aristote Onassis à les rejoindre en privé, à la Maison-Blanche. À son retour de croisière, pourtant, Jack avait exigé qu'Ari ne mette pas le pied sur le sol américain avant les présidentielles de 1964...

Au Capitole, quelque 250 000 personnes défilent devant le cercueil exposé avec pompe sur le catafalque de Lincoln. Pour les funérailles, Jackie a imposé un cortège à pied jusqu'à la cathédrale Saint-Matthiews. Le cercueil est porté sur la prolonge d'artillerie ayant servi aux obsèques de Roosevelt. Un cheval noir suit – *Black Jack* ! (un hasard) –, des bottes retournées dans les étriers. Voilée de noir, très digne au milieu d'une foule en larmes, Jackie marche en tête du cortège, tenant ses enfants par la main. Bob et Ted l'accompagnent. Les Johnson marchent derrière. Soixante-deux chefs d'État et de gouvernement sont présents, dont de Gaulle, à qui Jackie offrira une marguerite à la Maison-Blanche. Bien sûr, la messe est dite par le cardinal Cushing, et cette fois Jackie ne peut retenir ses larmes. De ce jour-là le monde entier conservera des images fortes : Caroline et sa mère embrassant le drapeau couvrant le cercueil, le petit John-John le saluant en soldat. À Arlington, Jackie et Bob allumeront ensemble la flamme au son de vingt et un coups de canon. Ils y reviendront le soir-même, à minuit, après avoir reçu les délégations à la Maison-Blanche… et après avoir fêté les trois ans de John-John ! Car Jackie veut que la vie continue pour ses enfants. Aussi, ne manque-t-elle pas non plus d'organiser une véritable fête le 5 août, à l'occasion des six ans de Caroline. Grâce à Janet et au cardinal Cushing, envoyés à Brooklyn et à Newport, elle vient alors de faire regrouper les dépouilles d'Arabella et de Patrick auprès de leur père. Jackie, aussi, triera les affaires de Jack et offrira des objets personnels à ses collaborateurs. Certains lui reprocheront de s'être montrée trop « royale » en ces circonstances, pourtant, comme le dira de Gaulle, « elle a montré au monde comment on doit se comporter ». De même, pour Donald Spoto, « elle mit de l'ordre dans le chaos ».

Johnson a vite écarté les conseillers de JFK de la Maison-Blanche et s'est imposé dans le Bureau ovale – trop vite selon Bob, qui voit en lui un usurpateur et qui acceptera mal de le voir mettre au monde les réformes préparées par Jack ; notamment celle sur les droits civiques. Néanmoins, LBJ a accordé à la famille tout ce qu'elle voulait pour les funérailles. Mieux, Lady Bird et le nouveau président ont laissé à Jackie le temps de s'organiser avant de quitter la Maison-Blanche. Outre la protection de quatre agents du *Secret Service*, Johnson met temporairement à sa disposition deux intendants, un bureau et même une vedette garde-côte de 6 m. Surtout, il accède à deux demandes particulières : rebaptiser Cap Canaveral au nom de Kennedy et laisser continuer la restauration de la Maison-Blanche par Lady Bird. Il n'en sera guère remercié. Jouant la séduction avec Jackie – lui donnant du « mon chou » – et cherchant peut-être à capter son image planétaire à son profit, il l'invitera en vain à de multiples reprises à la Maison-Blanche.

Le 6 décembre, Jackie emménage au 3038, N Street, dans la maison de Marie et Averell Harriman, qui s'exilent à l'hôtel. De fait, elle ne manque pas d'affection. Lee s'attarde, ses amis l'entourent. C'est à cette époque qu'elle invite Teddy White, journaliste de *Life Magazine*, à Hyannis Port et lui suggère cette image de Camelot qui doit protéger Jack de l'histoire. En fait, Jackie est alors très mal. En proie aux sédatifs, parfois à l'alcool, elle pleure souvent et se montre lunatique et cassante. Encore plus exigeante avec son personnel, elle effraie jusqu'à ses proches, hormis Bob, nouveau chef de clan et héritier de JFK, qui trouve toujours grâce à ses yeux et qui, avec Ethel, va d'une certaine manière adopter ses enfants. À trente-quatre ans, « dominée par la mort de Jack » et soudain confrontée à un grand vide, Jackie sera parfois à la limite de la neurasthénie, voire de la paranoïa, soupçonneuse pour tous. Il est vrai que la curiosité populaire et médiatique n'arrange rien.

Très vite, Jackie traverse N Street, pour s'installer au 3017, dans une maison de quatorze pièces qu'elle paie près de 200 000 dollars. Outre la pension annuelle de l'État de 10 000 dollars, son veuvage ne la laisse pas à la rue. L'héritage de Jack – 15 millions de dollars – prévoit surtout des fidéicommis au profit des enfants, mais il lui garantit une rente annuelle de 100 000 dollars, à laquelle s'ajoutent 50 000 autres versés par Bob. Mais là, au 3017, Jackie ne trouvera pas non plus la tranquillité. Photographes et curieux se pressent à sa porte. Les autocars défilent. On arrache l'écorce de ses arbres, on veut toucher ses enfants, voir à travers ses rideaux, qu'elle doit tenir fermés. Son dégoût de Washington croît d'autant plus que les ambassadeurs de Grande-Bretagne et de France changent. Elle voit partir ses chers David et Sissie Ormsby-Gore et Hervé et Nicole Alphand. Et puis, une pente nouvelle l'appelle à New York. Ses amis sont là-bas et Bob s'y présente aux sénatoriales. Revendant *Wexford* et

sa maison de N Street, Jackie acquiert alors face à Central
Park un appartement de quinze pièces au 1040, 5e Avenue.
À nouveau elle débourse 200 000 dollars, plus 125 000 en
décoration, mais Peter Evans indique qu'elle serait alors
aidée financièrement par plusieurs amis, dont Onassis !
Cette fois, elle tient un domaine bien à elle, entre ses livres
et ses meubles, et à deux pas des Lawford, des McGeorge
Bundy, de Yusha et de Bob. Pour l'été, elle loue en outre
une résidence à Glen Cove, près de la maison de Bobby et
d'Ethel, sur Long Island.

Comme pour tourner la page d'un passé douloureux,
Jackie laisse tout de même s'installer de la distance entre
elle et certains amis, tels les Barlett et les Bradlee. En
revanche, elle défend bec et ongles la mémoire de Jack,
s'impliquant dans une exposition itinérante et dans la création de la bibliothèque du Mémorial John F. Kennedy à
Boston, pour lequel elle récoltera 10 millions de dollars.
Surtout, elle intervient dans les projets de livres consacrés
à son mari, hostile à ceux de son personnel et de ses relations, véhémente face aux journalistes. Ainsi, après avoir
d'abord prêté son concours à William Manchester pour *la
Mort d'un président*, elle ne cesse bientôt d'exiger des cou-
pures, en appelle aux hommes de loi et verse des larmes
devant la presse. Peu à peu, il faut bien le dire, se révèle
alors une Jackie égocentrique et peu sympathique, femme
blessée certes – et comment ! – mais aussi enfant gâtée et
malade de l'image de son mari et d'elle-même.

Sans surprise, on la voit décrocher du monde politique,
se contentant d'adresser à Khrouchtchev une lettre en
faveur de la paix et de soutenir Bob dans ses desseins. À la
convention démocrate, Johnson redoute de la voir s'engager au service de son beau-frère, mais celui-ci préférera
devenir sénateur à New York – peut-être par crainte de
révélations de Hoover sur sa relation avec Marilyn

Monroe. Jackie l'autorise tout de même à exploiter une photo de lui avec John-John – en échange d'une nouvelle voiture, diront certains... Peter Evans, lui, dans son ouvrage *Vengeance*, hier interdit, considère qu'elle a monnayé son soutien à Bobby en échange de sa compréhension au regard d'un possible mariage avec Onassis. Ses enfants, en tout cas, semblent demeurer la principale préoccupation de Jackie. À l'automne 1964, tous deux se trouvent désormais dans de véritables écoles, et puis elle les emmène souvent en voyage, ainsi qu'à Hyannis Port, Palm Beach et *Hammersmith Farm*. Là, l'écrivain George Plimpton organise pour eux et soixante-dix de leurs camarades une chasse au trésor, avec adultes déguisés en pirates et un coffre enfoui tout empli de faux bijoux. Mais, tout en voulant les protéger, Jackie abuse de cet argument pour justifier ses débordements d'humeur et son mode de vie. Nombreux sont ceux, en effet, qui estiment que sans JFK Jackie n'aurait été rien de plus qu'une mondaine se complaisant dans le luxe et la facilité, comme sa sœur. Au-delà de ce vernis français qu'elle affiche sans cesse, certains voient même en elle « une Américaine ordinaire, avec des goûts ordinaires ».

De fait, Jackie s'étourdit dans une vie de jet-set tout entière tournée vers le plaisir. Elle reçoit des sommités, tels Hassan II et le Négus, et puis on la voit dans des restaurants chics ; parfois même en minijupe, avec Lee. En semaine, elle fait de la gym dans un club huppé et, le week-end, elle chasse le renard ou bien chevauche jusque sur les terres de propriétaires dont elle ne sollicite pas l'autorisation. Elle skie aussi, au Colorado, dans l'Idaho, le Vermont et en Suisse. Et puis, elle voyage : d'abord l'Adriatique, la Yougoslavie et l'Italie ; plus tard, Londres, l'Argentine, Antigua, Acapulco... En Irlande, prise dans un courant, elle manque se noyer. À Rome, elle est à son tour reçue par Paul VI et fréquente le gratin de l'aristocratie. En Espagne, elle éclipse Grace Kelly au bal de la Croix-Rouge et se fait remarquer à Séville. On lui reprochera en effet d'avoir assisté à une corrida et chevauché à la feria. Surtout, on glosera sur ses relations avec Antonio Guarrigues – soixante-deux ans –, ambassadeur au Vatican.

La femme la plus connue au monde impressionne les hommes et terrifie leurs épouses, mais, tantôt froide et hautaine, tantôt aguicheuse – « allumeuse », dira-t-on –, elle ne manque pas d'adorateurs. Ainsi s'affiche-t-elle avec le photographe Peter Beard. Adlai Stevenson lui-même se laissera volontiers prendre à ce jeu, tandis que le poète Robert Lowell se montera la tête jusqu'à l'obsession. Plus sérieuse sera sa relation avec André Meyer, conseiller financier et confident, un homme solide, mais qui sera lui aussi souvent le jouet très complice des modulations de sa voix de petite fille capricieuse. De même, en 1967, la presse entrevoit un mariage possible lors de son départ pour le Cambodge avec David Ormsy-Gore, devenu Lord Harlech et dont l'épouse a péri dans un accident de voiture. Et puis, au Mexique en mars 1968, sans réelle discrétion elle laissera deviner des relations pour le moins « sentimentales » avec Roswell Gilpatric, ancien secrétaire d'État adjoint à la Défense. Au nombre de ces hommes bien plus âgés qu'elle recherche, figure enfin un architecte, Carl Warnecke, qu'elle accompagne à Hawaï. Mais, plus que tout, ce qui intriguera toujours presse et public, ce sont ses relations avec ce beau-frère complice auquel elle donne le bras du vivant de son mari, à qui elle tient la main à sa mort et qu'elle continue de voir presque chaque jour maintenant qu'ils partagent la même perte. Sans preuve, on murmurera qu'il existait « un peu plus qu'une amitié » entre eux et même qu'Ethel était sur la défensive. Le temps, en tout cas, leur est trop compté pour pouvoir dire ce que serait devenue cette relation. La mort brutale de Bob va jeter Jackie dans les bras d'un autre puissant de ce monde.

Tandis que l'enlisement militaire au Vietnam détruit la popularité de Johnson, le sénateur de New York, Robert Kennedy, s'arrache enfin à l'ombre de son aîné et, affirmant son ambition nationale – « changer l'Amérique » –, se présente aux présidentielles de 1968. Mais cette année-là, la mort rôde. En janvier, Jackie a perdu son grand-père Lee. En avril, à sa demande, elle accompagne Bob aux obsèques de Martin Luther King, assassiné à Memphis. Et puis surtout, en juin, alors qu'il remporte les primaires de Californie, Bobby est lui-même abattu de deux balles dans la tête par un immigré palestinien, Sirhan Bishara Sirhan. Ethel attend alors son onzième enfant et Jackie est auprès d'elle, à l'hôpital de Los Angeles, lorsqu'il succombe à l'aube du 6 juin. La veuve de JFK est à nouveau effondrée. Le deuil, dira-t-elle, fait désormais partie de sa vie « comme la mer, le ciel ou la terre ». Bobby, cet avocat qui a servi l'État puis son frère, hier grandi dans sa lutte contre Hoffa et ses alliés de la Mafia new-yorkaise, est à son tour terrassé. L'histoire se répète : Bob est inhumé à Arlington. L'espoir d'une vie normale et d'un nouveau rêve américain s'effondre. « Je hais ce pays », dit-elle. Dès lors, la relation déjà engagée avec Onassis va prendre une autre dimension.

Le Grec est l'archétype du self-made-man. Enfant, il a échappé au massacre de Smyrne de 1922, puis il est passé en Argentine. Après avoir connu la misère, le voici à vingt-cinq ans avec un premier million de dollars amassé grâce à l'importation de tabac grec. Ensuite, il achète ses premiers bateaux au Canada et, protégés par un pavillon neutre, ceux-ci traversent la guerre sans danger. En outre, d'aucuns le soupçonnent d'avoir touché au trafic de drogue, y compris sur le tard, via Houston, lorsque ses affaires se dégraderont. Dès lors, en tout cas, c'est l'ascension et, aujourd'hui – à soixante-deux ans, lui aussi –, on estime sa fortune à plus de 300 millions de dollars. Outre son fabuleux *Christina*, il possède des résidences de luxe un peu partout et même une île, Skorpios, embellie à prix d'or. Soupçonné aux USA, rendu suspect par sa fréquentation de la junte grecque, il est surveillé par les services de divers États. Non seulement il a besoin de corriger son image, notamment pour les banquiers américains, mais il a soif de prestige. Si elle était à vendre, dit-on, il s'offrirait la reine d'Angleterre ! Mais au moins il connaît Jackie, cette créature toute royale qui justement recherche un homme puissant, apte à lui apporter sécurité financière et protection. Ceci, bien sûr, n'interdit pas les sentiments.

En vérité, Ari et elle se sont revus depuis cette croisière en Grèce. Et tout d'abord à la Maison-Blanche, pour la veillée funèbre de Jack, où il est venu rejoindre Lee, peut-être à la demande de Jackie, et où, selon Peter Evans, Bob aurait voulu l'humilier. D'après Jacques Harvey, la veuve de JFK aurait ensuite attendu 1965 avant de rappeler Ari. Peter Evans, lui, indique qu'ils se sont vus et écrit maintes fois. L'armateur aurait loué un appartement sur la 64e Rue pour la rencontrer discrètement et lui aurait même offert de pleines enveloppes d'argent liquide. Elle lui aurait alors « coûté » jusqu'à 80 000 dollars par an.

En tout cas, on les voit bientôt ensemble dans des restaurants et des clubs de New York, à Paris et même à Skorpios. Il sait alors combien aller en ville avec Jackie, c'est comme « sortir avec un monument national ». Cette année 1968, ils se sont aussi croisés en mars à Palm Beach, puis en mai ils ont navigué six jours ensemble aux Îles Vierges. Ainsi, malgré sa liaison avec la Callas, qu'il a jadis littéralement enlevée à son mari Battista Meneghini, qu'il couvre de cadeaux et qui aurait perdu un bébé de lui à Milan, Ari a offert le mariage à Jackie et non à la diva. Bien sûr, Bob était hostile à cette idée, mais on l'a tué, alors maintenant elle va dire oui à cet étranger rassurant auquel on prête de fabuleuses liaisons : Evita Perón, Gloria Swanson – comme Joe ! – et peut-être même ses amies Elizabeth Taylor et Greta Garbo... De fait, Ari est un homme à femmes ; toutes les femmes, même si, dit-il, il préfère les putains aux poules de luxe. « Devant Ari, écrira Harvey, les femmes les plus inaccessibles s'ouvraient comme des fleurs japonaises [...]. » Bien sûr, comme pour Jack, son compte en banque ajoutait à son charme, et d'ailleurs il était très excité à l'idée d'acheter les femmes. Janet, bien sûr, le trouve vulgaire, mais Rose espère un allègement financier pour sa tribu. Jackie va donc hâter les choses suite à des révélations publiées le 15 octobre 1968 dans le *Boston Herald Traveler*.

Dès l'été, il est vrai, on parlait contrat de mariage. C'est Ted, nouveau chef de famille, qui a accompagné Jackie à Skorpios, en août, pour souligner que ce remariage lui coûterait 160 000 dollars par an et sa protection policière. Ari a assuré qu'il compenserait ces pertes, néanmoins la convention finale sera fort discutée avec André Meyer, qui n'obtiendra « que » 3 millions de dollars pour Jackie et 2 pour ses enfants, au lieu des 20 escomptés – « pure et simple voracité », dira Ari. Mme Onassis disposera en outre de 30 000 dollars par mois et d'une rente annuelle de 250 000 en cas de décès ou de divorce. Certains, dans ces conditions, estimeront qu'Ari a fait là une « affaire », voire une « acquisition ». Lee, la belle-sœur de l'homme le plus puissant du monde, avait sans doute déjà de quoi exciter son goût pour une certaine façon de s'attacher les femmes, alors sa veuve, qu'est-ce que ce doit être ? Blessée elle aussi, la Callas ironisera du reste en notant qu'il est « beau comme Crésus ». Cela dit, on ne peut pas se demander honnêtement quel genre de femme est Jackie sans chercher à cerner quel genre d'homme est alors Onassis.

Bien sûr, l'annonce de cette union n'a pas non plus laissé de glace la famille d'Ari. « Votre père épouse un numéro Un ! » se serait exclamée sa sœur, tandis qu'une tante s'alarmait au contraire de ce que « cette femme apporte la mort ». D'autant que, selon Harvey, la veille, 13 octobre, il venait d'annoncer à ses enfants son intention de re-épouser leur mère, Athina, fille du richissime armateur Stavros Livanos. Jackie, dit-il, aurait alors téléphoné deux fois dans la nuit… Sa fille, en tout cas, lui assurera plus tard : « C'est elle qui te porte la poisse ! »

Le mariage a lieu le 20 octobre dans la chapelle de Panayta de Skorpios. Les invités sont comptés, mais l'île est cernée par des centaines de reporters dont la marine grecque doit tenir la flottille à distance. Les enfants de Jackie sont dépassés et ceux d'Ari sont venus forcés. À dix-huit et vingt ans, Christina et Alexandre se sentent mal aimés et reprochent à leur père son divorce d'avec leur mère, Tina. Ils rejettent toute intruse et Jackie ne parviendra jamais à se les attacher. Outre son manque de générosité, elle commettra l'erreur de soutenir Ari dans ses conflits avec eux. Ce sera le cas avec Alexandre, amoureux de Fiona Campbell Thyssen, mannequin divorcé du roi de l'acier, deux fois mère et de seize ans son aînée. Même chose avec Christina, qui refuse d'épouser Petros Goulandris, héritier d'une flotte de deux cent trente navires, et plus encore lorsqu'elle s'entichera de Joe Bolker, un agent immobilier de quarante-huit ans, divorcé et père de quatre enfants. Faute d'avoir pu empêcher leur mariage, Onassis leur rendra la vie impossible jusqu'à ce que sa fille regagne le giron familial. Pour Caroline et John Jr, Ari se montrera au contraire un beau-père attentif et généreux.

Le mariage s'est achevé par une grande fête sur le *Christina* et a été suivi d'une croisière et de trois semaines au soleil de Skorpios. La presse, pendant ce temps, s'est déchaînée. L'union du « pirate grec » et de la « reine douairière de Camelot » a fait l'effet d'un coup de tonnerre dans le monde, y compris pour nombre de leurs amis, qui l'ont apprise par les médias – la Callas y compris, « détruite » par cette nouvelle. À Rome, *il Messagero* titre que Kennedy est mort pour la deuxième fois. Le Vatican crie au scandale, l'Amérique à la trahison. Hier statufiée par le deuil, la « Première dame de Skorpios » chute de son piédestal dans une envolée de lettres d'insultes. Personne ne veut croire à ce mariage célébré sous la pluie. Alors, mariage heureux ? Pas vraiment.

La première année se passe plutôt bien entre une Jackie toujours plus « shopping » et un Ari trop attentif à ne pas la restreindre dans son besoin d'oublier les drames d'hier. De fait, l'ancienne *First Lady* dépense sans compter : vêtements, antiquités, mobilier... Bien sûr, elle revoit la décoration des résidences de son mari : Glyfada, près d'Athènes, Skorpios, les 650 m² de l'avenue Foch... et même le *Christina* ! Ari tousse un peu, bien sûr, à la première facture de décorateur – 25 000 dollars ! , mais il laisse faire, plus soucieux de fréquenter avec elle les Getty, les Rockefeller et les Ford. Peut-être a-t-il l'espoir de la voir intégrer sa tribu comme elle a jadis accepté de le faire avec le clan Kennedy. Et quel monde, cette tribu où l'on plonge souvent en pleine tragédie grecque ! Outre Tina, ses enfants, deux demi-sœurs et sa sœur Artémis, son « conseil » – qu'il respecte –, Onassis a trois intimes, trois complices mêlés à ses drames et à ses affaires les plus secrètes : Constantin Gratsos (Costa), vieil ami connaissant ce qu'il appelle lui-même ses « crimes » ; Johnny Meyer, ancien exécuteur des basses œuvres d'Howard

Hughes ; et David Karr, spécialiste de la prise de contrôle des sociétés.

En vérité, le couple ne fonctionne vraiment que quelques semaines. Ari est un homme sans snobisme et farceur, mais aussi coléreux, grossier, voire violent. Et puis, il aime les repas simples et la vie nocturne. Jackie préfère défilés de mode, ballets, théâtres et grands restaurants ; sinon, elle reste chez elle. Elle demeure d'ailleurs très américaine, conservant son appartement de la 5ᵉ Avenue et louant *Winwood*, une maison de Peapack, dans le New Jersey. Ses enfants, surtout, poursuivent leurs études aux États-Unis. Ari et elle se trouvent ainsi le plus souvent séparés malgré toutes ses attentions. Son mari est en effet très généreux. En 1967 et 1968, il a déjà couru pour elle les meilleurs joailliers, et puis, en juillet 1969, en croisière en Méditerranée, il lui offre pour ses quarante ans un diamant de quarante carats, estimé un million de dollars, mais aussi des boucles d'oreilles en diamants, saphirs, émeraudes et rubis. À Skorpios, aussi, en son propre « royaume », il lui bâtit une folie toute chargée de marbre. Sans compter que l'on murmure que sa rupture avec sa sœur Lee lui aurait coûté un million de dollars… Malgré cela, et en dépit de sa rente mensuelle, Jackie lui laisse des factures de plusieurs milliers de dollars. Mieux, lorsqu'elle se plaint d'avoir perdu 10 % de ses 3 millions dans un mauvais investissement, il lui offre un nouveau million en cash ! Bref, Jackie coûte cher à Onassis. Elle n'en a jamais assez et, faute de retour, il finira par diminuer sa rente d'un tiers. Non seulement ils en viennent vite à se bouder – il la trouve dure, sans chaleur – mais elle est pour lui le contraire de la générosité. Lorsqu'il la rejoint sur la 5ᵉ Avenue, son frigo est toujours vide, et puis, pour leur premier Noël, elle lui offre une très « raisonnable » petite médaille gravée « *To my love for ever* » – comme jadis avec

Jack… Force est de constater qu'avec Jackie l'amour ne coûte rien. Tout au plus, à cette époque, accordera-t-on à son actif quelques visites aux blessés du Vietnam et un bref bénévolat au service des enfants de Spanish Harlem, à New York. Sans doute les pires blessures de l'âme ne sauraient-elles tout justifier.

Mais l'argent n'est pas le seul front sur lequel Jackie complique la vie d'Ari. Ses rapports avec la presse l'incitent à se lancer dans des procédures coûteuses contre certains journalistes, tel Ron Galella, condamné à ne plus s'approcher d'elle et de ses enfants. L'affaire lui laisse une facture de 500 000 dollars qu'Ari n'honorera qu'une fois réduite de moitié. La presse fera payer son hostilité à cette Jackie désacralisée. Une équipe de plongeurs-paparazzi parviendra ainsi à surprendre le couple nu au soleil de Skorpios, et *Playmen* Italie publiera les photos avec un titre iconoclaste : « la Touffe d'un million de dollars ». Ari refusera de poursuivre les trop nombreuses revues ayant repris cette publication. En outre, sans doute la situation l'amuse-t-elle, lui qui n'a guère de tabous. Hier, dit-on, pour échapper à la jalousie de la Callas, il allait de maîtresse en maîtresse en courant la Côte d'Azur dans un camion aménagé en boudoir… Et puis, il n'est pas davantage avare de confidences intimes ! Le corps de Gloria Swanson n'a ainsi plus de secrets pour certains, et bientôt il se vantera d'impressionner Jackie par sa virilité. Au passage, il soulignera même la libido de celle-ci, ce qui dément l'idée d'un « mariage blanc » évoquée par Christina ; ce qui est également tout aussi méditerranéen que peu gentleman ! Sans compter qu'il n'oubliera pas de se plaindre d'avoir hérité de « la chaude-pisse » de Jack… détail sordide mais qui recoupe ce que l'on sait par ailleurs de JFK.

En vérité, Aristote Onassis ne manquera guère d'occasions de se plaindre de Jackie, et ce dès le début de leur mariage. D'entrée, en effet, elle refuse de l'accompagner à la soirée qu'il donne pour promouvoir auprès de la junte son pharaonique projet Omega, qui prévoit entre autres une raffinerie en Grèce et pèse 400 millions de dollars. Non seulement son absence va entamer son crédit aux yeux des colonels, déjà courtisés par Niarchos, mais son épouse ne l'aidera pas davantage à appuyer auprès de Washington son projet d'importation de pétrole soviétique en Grèce. Très vite, Ari réalise ainsi l'erreur qu'il a commise en épousant Jackie. Non contente de lui coûter cher, elle se montre avare de son soutien pour ses affaires, et précisément il aborde des temps plus difficiles, où les échecs vont se succéder : Omega, opération immobilière de l'Olympic Tower sur la 5e Avenue, projet de raffinerie dans le New Hampshire, nouveau projet à Haïti avec cette fois Bébé Doc Duvalier, Olympic Airways et même le pétrole. Jusqu'alors des indiscrétions lui avaient permis de tirer bénéfice des guerres israélo-arabes en pré-positionnant ses tankers sur des routes indépendantes du canal de Suez, mais, en octobre 1973, il est surpris par la guerre du Kippour, qui laisse cette fois en panne un tiers de sa flotte pétrolière. Mais ce ne sont pas là les seuls drames auxquels se trouve confronté le couple Onassis.

En 1969, c'est d'abord le clan Kennedy qui se trouve touché par cette poisse. Ted, qui a réchappé à un accident d'avion cinq ans plus tôt, perd le contrôle de sa voiture, le 18 juillet, et tarde à déclarer que sa passagère s'est noyée, compromettant ainsi ses chances politiques. Joe, surtout, s'éteint le 18 novembre, pratiquement aveugle – Rose, elle, mourra à cent quatre ans ! Jackie, toujours fidèle, rejoindra le vieux chef de clan aux portes du coma, pour le veiller à sa dernière nuit. À partir de 1970, c'est la famille d'Ari qui est frappée par le sort, comme si peu à peu un cercle tragique, digne de la Grèce antique, se resserrait inexorablement autour de l'armateur.

Le 4 mai 1970, Eugénie Livanos, l'épouse de Niarchos et la sœur de Tina, est trouvée morte dans sa chambre sur son île privée de Septsapoula. Après une hâtive conclusion à un décès par barbituriques, et après trois autopsies, on conclut à une mort violente, sans doute causée par son mari aviné. Inculpé pour blessures involontaires, Niarchos échappera pourtant à la prison, grâce notamment à l'attitude réservée d'Onassis – chacun connaît tant de secrets sur l'autre ! Une attitude qu'il regrettera peut-être lorsque, curieusement, sa chère Tina, son ex-épouse devenue Lady Blandford et à nouveau sur le point de divorcer, projettera de se remarier avec Niarchos, assassin présumé de sa sœur ! À l'époque, Ari revoit déjà la Callas. Il est vrai que Jackie n'occupe guère le terrain, sauf en mai 1970, lorsque des photographes le surprennent chez Maxim's avec la diva. Aussitôt elle regagne Paris, de même qu'elle regagnera Skorpios en 1974 en apprenant qu'il s'y trouve en tête-à-tête avec leur amie photographe Hélène Gaillet.

L'année 1972 commence aussi mal pour Ari. Son avion privé s'abîme en mer – sans lui – au large d'Antibes et, paradoxalement, il ne cherche pas à le renflouer pour enquête. Déjà, tout aussi mystérieusement, le yacht de son ami David Karr vient d'exploser dans le port de Cannes… Menaces ? Ari songe alors à quitter Jackie, dont il pense qu'elle aurait recommencé à coucher avec ses anciens amants, mais, selon Peter Evans, celle-ci exigerait 20 millions de dollars, et il hésite. « Elle sait ce qu'elle vaut », pense son biographe, et peut-être le tient-elle ?

Evans révèle en effet qu'avant l'assassinat de son ennemi Bobby, Ari aurait eu des tête-à-tête avec Mahmoud Hamshari, alias Michel Hassner, qui se serait présenté comme l'intermédiaire d'un groupe terroriste palestinien voulant rançonner Olympic Airways. Or Hamshari, qui se serait rendu secrètement à Los Angeles et aurait perçu 1,2 million de dollars – dont sa mouvance ne verra pas la couleur ! –, aurait hier proposé au Fatah d'assassiner une personnalité américaine de premier plan. Curieusement, on pourra penser que Sirhan Sirhan, qui « devait » tuer Bobby, a subi un lavage de cerveau – pratique de contrôle psychique alors étudiée par les services spéciaux et que John Frankenheimer a popularisée dès 1962 dans son film *Un crime dans la tête*, avec Frank Sinatra. Tout aussi curieusement – suspecté par le Fatah ? –, Hamshari sera blessé par un téléphone piégé et succombera finalement à une mystérieuse et foudroyante fièvre.

À cette époque, en tout cas, Onassis est lui-même touché de manière très intime par un autre possible sabotage d'avion. Le 22 janvier 1973, le petit hydravion Piaggio du *Christina* plonge dans les flots au décollage d'Athènes, entraînant son pilote, Alexandre, dans un coma mortel de quarante heures. Fâché avec sa mère, Tina, pour son remariage avec Niarchos, son fils s'était rapproché de lui et dirigeait la filiale d'avions-taxis d'Olympic Airways. Ses qualités de pilote imposent le doute sur l'accident, et puis l'on découvre que des Américains ont pu approcher l'appareil et que les câbles des ailerons ont été remontés à l'envers. Foudroyé, Ari ne saura qui incriminer de la junte, de la CIA, de Niarchos ou des Palestiniens, et il offrira en vain un million de dollars pour une piste. Cette fois-ci, l'homme est atteint profondément. Incapable d'assister aux obsèques, il passe la nuit à parler à son fils sur sa tombe de Skorpios. Souvent, on le surprendra ainsi, monologuant à la porte de sa chambre. Buvant davantage, le Grec, dès lors, se désintègre et se bat contre des ombres. L'heure du déclin – peut-être de la paranoïa – a sonné. « On dirait une forteresse assiégée qui s'écroule de l'intérieur », dira son ami Costa.

Sans doute est-il trop tard pour que Jackie puisse aider Ari. Au cours du premier semestre 1974, elle se fait plus présente, mais il est irascible, invivable. On le voit la repousser du coude. Le 19 septembre, leurs avocats se rencontrent à Skorpios pour étudier les conditions d'une séparation. À ce moment-là, de son côté, Tina a hérité un milliard de dollars de son père, Stavros Livanos, et elle se prépare déjà à divorcer de son troisième mari et ex-beau-frère, Niarchos. Quelle famille ! Malheureusement pour elle, le 9 octobre, elle est elle-même trouvée morte dans son hôtel particulier parisien, victime, dit-on, d'une thrombose coronaire. La nouvelle diminue d'autant Onassis, pour qui on a diagnostiqué en mars une myasthénie aiguë. Ce dysfonctionnement du système immunitaire fait bientôt de lui un « sac d'os » qui a perdu 20 kg, et, en novembre 1974, il doit être hospitalisé à New York. Paradoxalement, Jackie le voit alors moins souvent, et Christina davantage. À son retour en Grèce, il n'en évoque que plus son intention de divorcer, mais le temps lui manque. Le nécessaire abandon d'Olympic Airways au gouvernement grec pour une misère le ronge. Une fois épongé le passif de la compagnie, il sauvera à peine 35 millions de dollars. Le 6 février, il doit rejoindre Paris pour se faire hospitaliser à l'hôpital Américain de Neuilly où, sous assistance respiratoire et rénale, il va sombrer dans un long coma, suivi par l'affection de sa fille, avant d'être « débranché » le 15 mars 1975.

Ne restent plus dès lors que les apparences et l'argent. Jackie, qui partait au ski, rejoint l'hôpital, cachée derrière des lunettes noires, et prie en tout et pour tout sept minutes devant la dépouille de son mari. À Skorpios, Ari va reposer auprès d'Alexandre et, raconte Jacques Harvey, « quelques minutes après l'inhumation, Edouard Kennedy, John-John, Caroline et Jackie enfilent leur maillot de

bain. » Le 18 avril, le *New York Times* chahute les apparences en révélant qu'Ari avait demandé à son avocat de
lancer le divorce, mais, sous la pression de Jackie,
Christina devra démentir l'information dès le 22. Enfin,
après un an de chamailleries avec elle, Jackie obtiendra
pour héritage une rente annuelle de 150 000 dollars, un
pactole de 26 millions, plus de multiples legs d'objets d'art
pour une valeur totale de 34 millions. Christina, il est vrai,
entretient à ce moment-là une liaison avec Alexander
Andreasis, héritier d'un demi-milliard de dollars. Et puis,
elle va arracher 250 millions à son oncle Niarchos, qu'elle
menace de faire annuler son mariage avec sa belle-sœur
Tina, ce qui est interdit en Grèce, afin d'hériter de celle-ci.
Chacun a les soucis qu'il peut…

Jackie, elle, sans doute protégée par son superbe
égoïsme, sort miraculeusement indemne de cette période
trouble, hantée de tragédies grecques et de machinations
affairistes. Bien sûr, elle y est apparue peu sympathique, et
l'image qu'elle laissera de ce coûteux désœuvrement et de
cette fabuleuse célébrité inemployée au service des autres
manquera par trop de grandeur, mais elle se rachètera
bientôt. Rassurée – enrichie –, peut-être en partie guérie
de ses blessures, elle va maintenant trouver son équilibre
en s'affranchissant de l'ombre étouffante de ces hommes
puissants qu'elle recherchait jusqu'alors.

VII

TEMPS DE PAIX :
LA RENCONTRE DE SOI
ET DES AUTRES

1975-1994

À quarante-cinq ans, Jackie Bouvier-Kennedy-Onassis se trouve maintenant deux fois veuve. Les cyniques la surnomment JBKO, comme il y eut hier JFK. Dans sa biographie *Un mythe américain : Jaqueline Kennedy-Onassis,* David Heymann dresse un bilan sans concession de sa seconde union : « Jackie retirait de son mariage avec Onassis plus de 42 millions de dollars, soit 7 millions de dollars par an. » Christina, qui disparaîtra d'un œdème pulmonaire en 1988, la décrira quant à elle comme la femme la plus vénale qu'elle ait connue. « Ce qui me sidère, dira-t-elle, c'est de la voir survivre à tant de morts autour d'elle. C'est une femme dangereuse, une femme redoutable. Elle a décimé deux familles — les Kennedy et la mienne. » Jugement excessif, bien sûr, et puis cette peu sympathique Jackie va désormais évoluer, et dans le bon sens. Peu à peu, tous le constatent. Ainsi son ami Franklin Roosevelt Jr considère-t-il qu'en 1975 elle a désormais pour priorité de « se forger une nouvelle identité ». Mais est-ce bien là une véritable volonté ou, plus simplement, une révélation de soi-même, faite sur une nouvelle pente désormais plus libre ? En tout cas, Jackie va changer de façon notable en s'appuyant sur trois piliers : son goût pour les livres, une fois de plus l'amour, et puis ses enfants.

Bien sûr, Jackie ne pourra jamais renoncer totalement à ce qui faisait le sel de sa vie. On la verra encore en ville, pour de multiples manifestations culturelles : danse, opéra, vernissages, défense du patrimoine… Elle présidera même le gala annuel de l'American Ballet Theatre. Néanmoins, son existence va se faire plus discrète et peut-être même plus modeste : davantage une vie de bien-être et de bien-vivre, sauf à l'approche de Thanksgiving, période aux souvenirs détestables, en outre marquée par les prières et les jeûnes de l'Avant. Plus que jamais, Jackie semble alors se reprocher son orgueil et expier quelque chose – sans doute de ne pas avoir su sauver Jack, ce 22 novembre 1963. Doucement donc, elle s'éloigne des ostentations de la jet-set, mais pas d'une existence confortable, ni même du luxe. De fait, grâce à sa fortune, riche de cet appartement dont quatorze fenêtres donnent sur Central Park, elle dispose d'un socle très privilégié pour s'épanouir. Elle fait du jogging et du vélo autour du Réservoir, pratique le yoga et l'aérobic, et puis elle monte à cheval le week-end et s'adonne à la natation chaque fois que possible. En outre, elle lit de plus en plus – des livres et bientôt des manuscrits –, ce qui, en la mettant à l'abri du désœuvrement, l'incline moins à tuer le temps en shopping. Il est vrai que Joe et Ari ne sont plus là pour honorer ses factures… Enfin, la femme la plus guettée au monde observe la ville à la longue-vue, la victime se faisant elle-même voyeuse.

Plus que tout, Jackie la traquée semble rechercher une certaine paix, s'échappant chaque week-end dans sa maison de campagne du New Jersey, et puis rencontrant régulièrement un psychothérapeute et un acupuncteur. Dans le même temps, elle va se montrer plus sensible à la religion. Au-delà de sa personnalité contemplative, sans doute doit-elle cette pente nouvelle au très compréhensif cardinal Cushing, mais aussi, indubitablement, aux drames qu'elle a vécus, à ses lectures et à ses échanges d'aujourd'hui avec de brillants ecclésiastiques, tels les jésuites de Saint-Thomas More ou bien encore Eugène C. Kennedy, un homonyme enseignant à l'université Loyola de Chicago. La veuve de Jack et d'Ari semble ainsi peu à peu trouver la paix – celle de Dieu et puis la sienne. Peut-être même un peu trop pour sa mère, convaincue de l'implication active ou passive de Johnson dans l'assassinat de JFK. Jackie, dit-on, aurait laissé entendre qu'elle croyait davantage en un complot, et Janet ne comprend pas son désintérêt pour l'enquête. C'est en tout cas ce nouveau socle financier et spirituel qui va permettre à Jackie de faire ce qu'elle aime, sans réel intérêt matériel, et puis aussi, hélas, d'affronter de nouveaux coups durs.

Peu après la mort d'Ari, Jackie a emmené ses enfants à Hyannis Port, où elle fête ses quarante-six ans, mais, dès la rentrée, un hasard heureux vient à elle sous le visage de Laetitia Baldrige, celle-là même qui la torturait jadis à coup d'obligations officielles. Alors que l'ex-*First Lady* semble rechercher une vie plus authentique, Tish lui suggère d'offrir ses services à une vieille relation des Kennedy, Tom Guinzburg, président de Viking Press. Jackie ne connaît rien à l'édition, mais la lecture est son miel. Et puis, au-delà de ses poèmes, de ses contes et de son récit de voyage avec Lee à l'été 1951, elle a acquis une relative expérience de l'écriture. Outre son passage au *Washington Times-Herald*, elle s'est investie dans *Profiles in courage*, a mis au monde le guide de la Maison-Blanche et même aurait un peu plus qu'inspiré une biographie, *Jacqueline Bouvier Kennedy*, sous la plume de Mary Van Rensselaer Thayer. Selon Heymann, cette amie aurait sauté sur son manuscrit pour l'éditer chez Harper & Row mais aussi le publier dès janvier 1961 en épisodes dans le *Ladies'Home Journal* ; ceci pour 150 000 dollars ! Il rapporte ainsi que, d'après la rédactrice en chef, « seul le nom de Mary apparaissait dans la marge, mais c'était l'histoire de Jackie et c'est Jackie qui l'écrivait. » Celle-ci se serait d'ailleurs agacée lorsque sa mère se serait un peu trop confiée à l'auteur. Bien sûr, Jackie va bénéficier de conditions exceptionnelles. Elle ne viendra travailler que quatre jours par semaine, disposera d'une assistante, Rebecca Singleton, mais aussi des conseils d'une professionnelle, Barbara Burn. En revanche, on ne peut pas dire que son salaire officiel de 10 000 dollars par an puisse constituer la motivation première d'une célébrité planétaire plusieurs fois millionnaire en dollars. Guinzburg réalise en tout cas un magnifique coup de pub, le 18 septembre 1975, en annonçant à la presse l'arrivée de l'ex-Première dame dans son équipe en qualité d'éditrice associée. En outre, avec son carnet d'adresses, elle constitue un fantastique *go-between*.

Jackie débarque chez Viking Press, sur Madison Avenue, dès le 22 septembre et y fait ses débuts avec un « beau livre » : *Remember the ladies in America*. Consacré aux femmes du XVIIIᵉ siècle, l'ouvrage, publié dès 1976, tombe à point pour le bicentenaire de l'Indépendance. Il trouvera d'ailleurs sa place dans le cadre d'une exposition itinérante. Jackie aidera ainsi à naître une centaine d'ouvrages au cours de ses dix-neuf années dans l'édition, mettant sa sensibilité et son ample culture littéraire au service de romans, d'essais et de très décoratifs « *coffee table books* ». Dans ce genre, elle publiera notamment *In the Russian style*, consacré à la mode de la Russie impériale, cet ouvrage soigneusement préparé visant lui aussi une exposition. Mais l'aventure chez Viking tournera court fin 1977, lorsque Guinzburg publiera *Shall we tell the President ?*, une fiction où Jeffrey Archer évoque une tentative d'assassinat contre un certain président

Edward M. Kennedy – ceci après avoir assuré à Jackie qu'elle ne paraîtrait pas ! Or, le *New York Times* dénonce cette « ordure » en soulignant que « la personne associée à cette publication devrait avoir honte d'elle-même ». Jackie se serait sentie d'autant plus trahie que son patron laisse entendre qu'elle s'est montrée compréhensive.

Jackie ne quitte pas l'édition pour autant. Grâce à son amie Nancy Tuckerman – qui précisément avait succédé à Tish dans ses fonctions à la Maison-Blanche –, elle renoue avec une autre connaissance, John Sargent. Dès février 1973, il l'embauche comme éditrice chez Doubleday, sur Park Avenue ; toujours avec un assistant, Ray Roberts. Cette fois-ci, pour trois jours par semaine, elle percevra 15 000 dollars par an. Elle débute avec deux livres sur les droits civiques : *The Cost of courage*, de Carl Elliott, et *Taming the storm*, de Jack Bass. Là, surtout, elle travaille sur ses sujets préférés. Depuis l'enfance, la danse la fascine, alors elle lui rend ce qu'elle lui doit de bonheur en publiant *Blood Memory*, de Martha Graham, *Poet and dancer*, de Ruth Prawer Jhabvala, et surtout *Dancing on my grave*, pathétique témoignage de Gelsey Kirkland, une ballerine réchappée de la drogue – un best-seller ! La musique, aussi, retient son attention et elle édite *No Minor chords : my days in Hollywood*, de André Prévin. Côté photographie, elle veille sur *Unseen Versailles*, le travail de Deborah Turberville sur le Grand Siècle. Et puis, il y aura des biographies, des journaux intimes et même un livre sur les *First Ladies*. En tout, soixante-treize ouvrages chez Doubleday, avec bien sûr quelques échecs, tel le décevant *Moonwalk* douloureusement arraché au très secret Michael Jackson. Hier déjà, chez Viking, elle s'était battue sans grand succès contre le prudent mutisme de Richard Daley, le maire de Chicago soupçonné d'avoir truqué les élections en faveur de JFK.

Les opinions sur le travail de Jackie sont partagées. Donald Spoto la présente comme l'éditrice idéale, tenant de plus à être traitée comme tout le monde. Elle maîtrise toutes les étapes de la fabrication et fait montre de qualités exceptionnelles avec ses auteurs. Sa « sympathie éclairée » les rassure, elle sait leur obtenir de bons contrats et, en cas d'échec en comité éditorial, les oriente vers d'autres maisons. Au contraire, selon David Heymann, elle demeure distante et ridicule pour les gens du métier, peu efficace au service des auteurs. En outre, elle s'appuie sur secrétaires et assistants pour finalement traiter peu de titres à la fois. Un critique jugea même *In the Russian style* superbe mais creux.

Ces critiques ne sont qu'une part de « cette boue » évoquée par Jackie, notamment lorsque paraîtra *Oh ! Jackie*, le best-seller peu flatteur de Kitty Kelley. Sa vie sentimentale, bien sûr, excite plus que tout la curiosité des tabloïds. Certains prêtent à Jackie O une cohorte de jeunes amants, d'autres, une liaison avec le trafiquant d'armes Adnan Khashoggi ou bien avec Warren Beatty et le docteur Barnard. En vérité, Jackie semble n'avoir que de brèves aventures avec des hommes discrets, tels Carl Killingsworth Jr, directeur de NBC, Pete Hamill, éditorialiste du *Daily News*, ou l'écrivain Peter Davis. Surtout, dès le printemps 1976, on la voit accompagnée de Maurice Tempelsman, un diamantaire de son âge – enfin ! – mais vieilli par sa silhouette ramassée et son crâne dégarni. À la fin des années cinquante, il a soutenu financièrement JFK, et maintenant c'est un conseiller financier de haut vol et qui saura faire fructifier le pactole de Jackie – le multipliant par huit au cours des dix années où quintuple le Dow Jones (1975-1985). Certes, Maurice n'a ni le compte en banque d'Ari ni le physique de Jack, mais sa fortune se compte en millions de dollars et sa culture et son esprit attirent les femmes. De fait, si l'homme est rassurant pour Jackie, il n'y a rien de mièvre en lui. Il fréquente magnats et chefs d'État et est très introduit chez De Beers. Ami du président zaïrois Mobutu Sese Seko, il a même sa part d'ombre et certains pensent qu'il aurait fricoté avec la CIA en Afrique. Issu d'une famille juive orthodoxe, père de trois enfants, il demeure en bons termes avec une épouse refusant le divorce pour des raisons religieuses. Il peut donc se montrer avec Jackie. Il sera son dernier et très attentif compagnon, mais ne s'installera que progressivement avec elle, à partir de 1982.

En vérité, 1976 n'est pas une bonne année. Après des revers de fortune et sa séparation d'avec Lec, Stas Radziwill meurt en juin d'une crise cardiaque. Maurice et Jackie gagnent Londres pour ses obsèques. Londres, c'est la ville où Caroline avait choisi d'étudier l'histoire de l'art chez Sotheby's, après s'être liée à un jeune marchand d'art, Mark Shand, dont la sœur est une certaine Camilla Parker Bowles… D'abord logée chez un parlementaire, elle a dû se réfugier chez sa tante après qu'un attentat de l'IRA à la voiture piégée ait tué un homme à sa porte. John, trop jeune, est resté au pays. Peut-être est-il aussi trop sage ; au point, pense-t-on, que sa mère le pousse vers de multiples activités viriles : golf, tennis, voile, canoë, boxe, escalade et même un stage de survie au Kenya ! En 1976, il s'embarque ainsi dans une aventure humanitaire au Guatemala, dans le cadre du *Peace Corps* créé par son père.

Mais 1976, c'est surtout l'année où Hughdie succombe à des problèmes respiratoires empoisonnant sa vie depuis des années. Janet est effondrée et sa situation financière n'est guère florissante. Depuis 1969, les affaires de son mari vont mal. Pour sauver l'essentiel, il a dû se défaire de *Merrywood*, puiser dans ses réserves et accepter une fusion. Pis, *Hammersmith Farm* est d'un entretien trop coûteux et a subi vol et incendies. Ni sa location temporaire ni les quelques plans tournés pour *Gatsby le Magnifique* n'ont pu sauver la situation. Après lui avoir sacrifié sa fortune, Hughdie avait dû envisager de vendre la maison de son enfance, sans toutefois trouver de conditions satisfaisantes. Jackie avait les moyens de l'aider, mais il ne le lui a pas demandé... Une partie de ses cendres y seront dispersées et Janet vendra la propriété pour 825 000 dollars, meubles et bibelots compris, conservant toutefois le Château hier voué aux domestiques. Et puis, Janet ne supporte pas la solitude. Le 25 octobre 1979, à soixante et onze ans, elle épouse un ami veuf, Bingham Willing Morris : un mariage catastrophique dès le voyage de noces et qui s'achèvera par un divorce en 1981. Désormais plus proche, Jackie veillera sur sa mère en établissant pour elle un fonds en fidéicommis d'un million de dollars.

Entre temps, à l'été 1978, Jackie a elle-même acquis une nouvelle propriété, cette fois bien à elle. *Martha's Vineyard* comporte une maison de treize pièces et une maison d'amis disposées sur cent quatre-vingts hectares de terre bordant le Nantucket sur la pointe de Gay Head. Sa grande amie Bunny Mellon l'inspirera dans sa décoration et, une fois achevé, l'ensemble lui aura coûté plus de 3 millions de dollars – belle somme au regard des modestes 30 000 dollars de taxe foncière de *Hammersmith Farm*... Nul, en effet, ne saurait contester que la générosité de Jackie s'adresse d'abord à elle-même. En témoigne sa tante Edie Beale, sur laquelle elle a certes veillé en 1977, lors de ses derniers moments, mais qu'elle avait ignorée lorsqu'elle avait fait de sa propriété un refuge insalubre pour une horde de chats. C'est bien pour éviter le scandale qu'elle était jadis intervenue pour assainir *Grey Gardens*, et encore, aux frais d'Ari.

À cette époque, 1978-1979, Jackie inaugure la Harvard's John F. Kennedy School of government et la bibliothèque John F. Kennedy de Columbia Point, à Boston, mais elle n'a pas l'habileté cynique de s'engager pour une grande cause. Mère avant tout, elle s'occupe de ses enfants, qui échapperont ainsi au chaos broyant bien des jeunes Kennedy. Tandis qu'elle atteignait la sérénité, elle a veillé à ce que John et Caroline grandissent « simplement », en Américains, et ne se laissent pas « voler leur âme ». Son appartement est resté ouvert à leurs amis, et elle a suivi leurs études. John sortira ainsi diplômé de la Phillips Academy de Andover, de la Brown University et de l'école de droit de l'université de New York ; tout cela pour finalement préférer lancer son magazine *George*. Il fera en outre sept fois la couverture de *People Magazine* et sera élu « l'homme le plus sexy ». Contre ça, Jackie ne pourra rien, mais elle le détournera du théâtre et – sinistre prémonition – lui interdira de piloter des avions. Caroline, diplômée de Radcliffe, s'essaiera à l'audiovisuel au Metropolitan Museum of Art et, comme son cadet, étudiera le droit à la Columbia University. Pas plus que lui, elle ne l'exercera. Le 19 juillet 1986, elle épousera Edwin Schlossberg, un architecte d'intérieur de treize ans son aîné, puis elle fera de Jackie une grand-mère, lui donnant pour son plus grand bonheur trois petits-enfants : Rose (1988), Tatiana (1990) et John (1993). À la naissance du dernier – Jack – Jackie sera alors bien près du bout du chemin.

C'est donc sur ces piliers que Jackie s'avance en effet plus paisiblement en un temps où la maladie resserre lentement son cercle sur ses proches puis sur elle-même. Soucieuse du vieillissement, elle s'est fait rajeunir les yeux pour ses cinquante ans, mais c'est en 1984 que la maladie attaque. Tandis que Maurice surmonte un problème cardiaque, Janet Jr se découvre un cancer du poumon. Janet, Yusha et Jackie vont alors se relayer auprès d'elle, au Château, mais le temps est compté. C'est Jackie, sa demi-sœur, qui lui tiendra la main lorsqu'elle s'éteindra, le 13 mars 1985, à trente-neuf ans, laissant trois enfants. Une fois de plus,

Jackie sait se montrer ferme dans la tourmente. Désormais, c'est à sa mère qu'avec Yusha elle va accorder une présence particulière, fêtant dignement ses quatre-vingts ans, en 1987, et veillant sur son bien-être alors que la maladie d'Alzheimer se précise. En mars 1989, une fracture de la hanche précipite la fin de cette vieille dame toujours digne. Faiblissant très vite, Janet s'éteint le 24 juillet et, une fois de plus, c'est Jackie – courageuse « passeuse » ! – qui lui tient la main pour sa dernière mondanité. Aux obsèques, on verra s'échapper une larme sur la joue d'une Jackie pourtant toujours sous contrôle à la veille de ses soixante ans. Les cendres de Jannet seront dispersées à *Hammersmith Farm*, après celles de Hughdie et de Janet J.-R.

Quelques années paisibles suivent alors pour Jackie, quelques années d'une vie de femme « normale » et qui travaille alors que rien ne l'y oblige. Des années exemplaires. Jusqu'à ce mois de juin 1993 où, en France avec Maurice, elle veut retrouver ses racines à Pont-Saint-Esprit. Soudain prise d'une grande fatigue, elle doit regagner *Martha's Vineyard*. Mais très vite elle cède à ses activités et, en août, alors que Bill Clinton se trouve à bord du yacht de Maurice, son amie Lady Bird a le sentiment qu'elle a enfin rencontré la paix. Et c'est bien ainsi…

En novembre 1993, elle tombe de cheval et on lui trouve à l'aine un ganglion lymphatique tuméfié. Niant sa faiblesse, elle organise un somptueux Noël et fuit aux Caraïbes, mais la maladie la rattrape sous la forme d'un ganglion au cou. Le New York Hospital diagnostique alors un lymphome appelé à vite se propager. De fait, chimiothérapie et radiothérapie ne pourront rien contre ce cancer. Jamais malade jusqu'ici, Jackie affronte alors courageusement les soins et le regard des autres. Faisant front aux rumeurs, elle demande à Nancy Tuckerman une déclaration publique optimiste, tout en montrant ses bandages aux bras et bientôt sa perruque. Tandis que Maurice est aux petits soins et installe son bureau chez elle, elle met de l'ordre dans ses affaires, signant le 22 mars 1994, un testament de trente-huit pages, par lequel, notamment, elle donne *Martha's Vineyard* à ses enfants. Et puis, elle trie livres et lettres, en offrant certains, en brûlant certaines.

Le 14 avril, Jackie perd connaissance et doit être opérée d'urgence pour des ulcères causés par son traitement. Une fois de plus, une hospitalisation révèle des signes alarmants : les poumons sont atteints. Chez elle, Maurice va veiller tendrement sur elle, lui tenant à son tour la main, mais les forces de Jackie vont se dérober chaque jour davantage. Fin avril, son cerveau et sa moelle épinière sont touchés. Migraines et nausées se succèdent. Ses douleurs dans les membres vont croissant, affectant sa motricité. Bientôt, elle peine à concentrer sa pensée et à l'exprimer. Parler devient difficile, sortir, une obsession. Elle supplie Maurice et, le 15 mai, il consent à l'emmener en promenade dominicale dans son cher Central Park, en compagnie de Caroline et du petit Jack. Dernier bonheur, dernière échappée dans la verdure pour cette femme toute sa vie assoiffée de nature et de grand air. Plaisir coûteux aussi, qui lui vaut d'horribles souffrances cette nuit-là et, au matin, la conduit, tremblante, sans repères, à l'hôpital. Comme sa mère à sa fin, la voici victime d'une pneumonie, mais surtout un scanner montre que ce sont désormais les reins et le foie qui sont atteints.

Cette fois, Jackie sait à quoi s'en tenir et refuse tout acharnement thérapeutique. L'esprit clair, apaisée, elle décide de rentrer chez elle ce mercredi 18 mai et d'y préparer sa mort et ses funérailles à Saint-Ignace de Loyola. Elle choisit son chant grégorien, sa chemise et sa parure de lit, elle dresse la liste des proches autorisés à venir lui dire adieu dans son lit à baldaquin corail. Ceux-ci, dès lors, vont se succéder à son chevet, tandis que peu à peu sa

conscience et sa respiration diminuent. Maurice ne la
quitte pas. Caroline, John et Bunny lui tiennent la main,
lui lisant des poèmes, et, le 19, on appelle un prêtre. C'est
la fin. Dehors, presse et curieux sont déjà là, ainsi qu'ils
l'ont toujours été dans la vie de Jackie. Même pour sa
mort, on dirait « un cirque » ! À 22 heures, à soixante-
quatre ans, Jackie pousse son dernier soupir, et c'est John
qui, au matin, porte la nouvelle à la rue : « Elle est à présent entre les mains de Dieu. » Mais c'est Eunice Kennedy
qui fera son éloge pour ses obsèques, ce 24 mai 1994,
avant qu'on ne la porte en terre à Arlington, auprès de Jack
et de leurs enfants morts. « Aux yeux de l'Amérique, dira-
t-elle, Jackie a incarné la beauté de l'art, de la musique, du
dessin et plus que tout celle de la famille. » Et de fait, elle
n'a pas oublié cette famille en partant…

Si le testament de Jackie vise des legs pour ses domestiques et collaborateurs, il a en effet surtout institué des
fondations pour ses enfants, les deux de Lee et ses trois
petits-enfants. Mais cela peut-il s'avérer suffisant au
regard d'un pactole aussi considérable ? Grâce aux
conseils de Maurice Tempelsman, la fortune de Jackie est
estimée à près de 150 millions de dollars en 1994, sans
compter une bonne trentaine d'autres en biens immobi-
liers. Investi d'aucun droit, Maurice devra pourtant vite
quitter le 1040, 5ᵉ Avenue, bientôt mis en vente (9 millions et demi de dollars) ainsi que son contenu. Cette dis-
persion fabuleuse de sa chère intimité rapportera 34 millions de dollars aux héritiers de Jackie, qui laisseront
même partir sans remords le précieux bureau de son cher
Black Jack. Ainsi l'impitoyable loi de l'argent triomphera-
t-elle jusqu'au bout dans la vie de Jackie, sans d'ailleurs
que l'on puisse pour autant jurer en toute équité que son
âpreté au gain fût toujours le principal moteur de cette
« âme muselée ».

De fait, sans doute ne pourra-t-on jamais affirmer qui fut la véritable Jackie Bouvier-Kennedy-Onassis, cette femme mystérieuse aux trois vies si différentes : d'abord Récamier toute royale d'une Amérique conquérante, puis la Belle ayant paru vendre son âme à la Bête pour une opulence tranquille, enfin cette manière de « bas-bleu » maternel dont il y a somme toute bien peu à dire, tant il est en retrait de ce qu'elle a alors connu jusqu'ici. Ne laissant à l'histoire ni journal ni lettres intimes, c'est pourtant cette dernière image, lisse mais si proche de ses concitoyens, qui va lui valoir le pardon de l'Amérique et conforter son mythe.

N'ayant jamais rien livré d'elle-même, Jackie demeure pourtant un personnage complexe, qui fascine tant parce qu'elle séduit que parce qu'elle effraie. Certes, son côté lumineux est indéniable, et certains la portent aux nues. C'est une femme intelligente et cultivée, de surcroît dotée d'une rare force intérieure qu'elle sait mettre au service de ses proches dans les pires moments. Mais on cerne mal les limites du côté sombre de cette héroïne de tragédie grecque – de cette « mante religieuse », pour quelques uns – et d'autres la vouent aux gémonies. Enfant gâtée de la prospérité et du *Social Register*, on peut légitimement s'interroger sur l'ampleur de son ambition et sur son appétit incontrôlé pour le luxe et l'argent. Ainsi, sa psychologie – ou son « âme muselée » – intrigue-t-elle aujourd'hui tout autant que le probable coup d'État contre Jack, le possible complot contre Bobby et les très crédibles menaces contre Ari.

Entrée dans la grande histoire avec le drame de Dallas, sacralisée par sa dignité de veuve et la compassion due à ses enfants, puis livrée en pâture aux pires tabloïds par son remariage scandaleux, Jackie est le visage surexposé d'un authentique psychodrame national – un deuil qui ne peut se faire, faute de transparence. Dès lors, on peut bien sûr l'imaginer utilisant la presse tout autant qu'elle s'en protège, ou bien encore s'avérant secrète et calculatrice plutôt que réservée. De même, certains détracteurs voudraient voir en elle une Américaine somme toute bien ordinaire, mais Jackie n'a-t-elle pas au contraire fui l'« ordinaire » durant toute sa vie ? Jadis, Bernard Berenson, le vieux sage de Toscane, l'avait incitée à fuir « les gens qui appauvrissent l'existence », et n'est-ce pas précisément ce qu'elle s'est appliquée à faire à l'ombre – ou plutôt à la lumière ! – d'hommes si peu communs ? Et cela, ce luxe suprême, c'est bien, pour qui ne l'aime guère, la prétention la plus extrême.

L'unique certitude, au bout du compte, c'est bien le mal-être de cette petite fille blessée par un divorce et inclinée à douter de soi par une mère froide et trop attentive à leur réussite, le mal-être de cette épouse bafouée comme aucune, aux grossesses dramatiques et détestant son corps, écrasée en outre par l'irrésistible séduction d'un mari volage, libertin et fragile. Nerveuse, fumant cigarette sur cigarette, se rongeant les ongles, Jackie étouffait tant bien que mal ses angoisses et ses humiliations derrière les hauts murs glacés des apparences et de la distance. Forteresse assiégée par la dévorante curiosité du monde, créature à vif exposée au regard cru de maîtresses de sa propre classe et reçues sous son propre toit, sans doute fuyait-elle aussi ses blessures en s'étourdissant de rêves de grandeur et de dépenses sans mesure.

Ainsi, alors que cette image populaire et lisse de femme active enfin libérée des hommes est sans doute la plus authentique, puisque la plus « aboutie », c'est aussi celle qui trahit le moins l'insoutenable chaos de ces blessures intimes qui précisément éclairent l'icône.

TABLE DES MATIÈRES

BIBLIOGRAPHIE

ANDERSEN CRISTOPHER, *John et Jackie, histoire d'un couple tragique*, Ramsay, 2003.

BEDELL SMITH SALLY, *la Vie privée des Kennedy à la Maison-Blanche*, Éditions générales first, 2004.

EVANS PETER, *Vengeance*, Michel Lafon, 2004.

HARVEY JACQUES, *Mon ami Onassis*, Albin Michel, 1975.

HERSH SEYMOUR, *la Face cachée du clan Kennedy*, Éditions de l'Archipel, 1988.

HEYMANN DAVID, *Un mythe américain : Jacqueline Kennedy-Onassis*, Éditions Robert Laffont, 1989.

KASPI ANDRÉ, *Kennedy, les 1 000 jours d'un président*, Armand Colin, 1993.

KLEIN EDWARD, *Adieu Jackie*, JC Lattès, 2004.

KESSLER RONALD, *les Péchés du père, les origines secrètes du clan Kennedy*, Albin Michel, 1996.

LEAMING BARBARA, *Mrs Kennedy, les années Maison-Blanche*, Presses de la cité, 2004.

LECOMTE FRÉDÉRIC, *Jackie, les années Kennedy*, Éditions de l'Archipel, 2004.

LECOMTE FRÉDÉRIC, *John & Robert Kennedy, l'autre destin de l'Amérique*, Éditions Équinoxe, 2003.

LENTZ THIERRY, *Kennedy, enquêtes sur l'assassinat d'un président*, Jean Picollec Éditeur, 1995.

MONSIGNY JACQUELINE ET BERTRAND FRANK, *Moi, Jackie Kennedy*, Michel Lafon, 2004.

POTTKER JAN, *Jackie et Janet*, JC Lattès, 2002.

REYMOND WILLIAM et SOL ESTES BILLIE, *JFK, le dernier témoin*, Flammarion, 2003.

SPOTO DONALD, *Jackie, le roman d'un destin*, Le Cherche Midi Éditeur, 2001.

Achevé d'imprimer en novembre 2005
sur les presses de la Nouvelle Imprimerie Laballery
58500 Clamecy
Dépôt légal : novembre 2005
Numéro d'impression : 511008

Imprimé en France